Станислав Чернышов
Алла Чернышова

ПОЕХАЛИ!

РУССКИЙ ЯЗЫК ДЛЯ ВЗРОСЛЫХ. НАЧАЛЬНЫЙ КУРС

УЧЕБНИК

3-е издание

Санкт-Петербург
«Златоуст»

1.2

2021

УДК 811.161.1

Чернышов, С.И., Чернышова, А.В.
Поехали! Русский язык для взрослых. Начальный курс : учебник. Часть 1.2. — 3-е изд. — СПб. : Златоуст, 2021. — 176 с.
Chernyshov, S.I., Chernyshova, A.V.
Let's go! Russian for adults. A course for beginners : textbook. Part 1.2. — 3rd ed. — St. Petersburg : Zlatoust, 2021. — 176 p.

Зав. редакцией: А.В. Голубева
Редакторы: М.О. Насонкина, А.В. Голубева
Корректоры: О.М. Федотова, О.С. Капполь
Вёрстка: В. Листова
Художники: И. Салатов, Н. Розенталь
Фотоматериалы: © Dreamstime.com, © Depositphotos.com
Обложка: ООО РИФ «Д'АРТ»

Комплекс предназначен для начинающих изучать русский язык и состоит из двух частей (1.1 и 1.2). Он рассчитан в среднем на 80–120 часов аудиторной работы. Комплекс включает учебник, рабочую тетрадь с ключами к курсу, аудиоприложение.

Задача курса — обеспечение быстрого вывода языкового материала в речь на основе взаимосвязанного обучения всем видам речевой деятельности. В нём органично сочетаются коммуникативный и грамматический подходы, современная тематика и живой разговорный язык. Видеокурс с методическими рекомендациями для преподавателя размещён на сайте авторов.

Для продолжения курса рекомендуется учебник «Поехали! Русский язык для взрослых. Базовый курс» (2.1. и 2.2).

Аудиоприложение (файлы для прослушивания и скачивания) можно приобрести на сайте ЛитРес.

Познакомиться с вебинаром авторов можно по ссылке: https://www.youtube.com/watch?v=KsRcxhnajnk

ISBN 978-5-907123-07-6

Подготовка оригинал-макета: издательство «Златоуст».
Подписано в печать 02.03.21. Формат 60x90/8. Печ. л. 22. Печать офсетная.
Тираж 3000 экз. Заказ № 21889.
Код продукции: ОК 005-93-953005.
Санитарно-эпидемиологическое заключение на продукцию издательства Государственной СЭС РФ
№ 78.01.07.953.П.011312.06.10 от 30.06.2010 г.
Издательство «Златоуст»: 197101, Санкт-Петербург, Каменноостровский пр., д. 24в, пом. 1–Н.
Тел.: (+7-812) 346-06-68, 703-11-78; e-mail: sales@zlat.spb.ru; https://zlatoust.store/
Отпечатано в типографии «ЛД-ПРИНТ».
196643, г. Санкт-Петербург, пос. Саперный, ш. Петрозаводское, д. 61, строение 6.
Тел.: (+7-812) 462-83-83.

СОДЕРЖАНИЕ

Урок	Языковая тема	Разговорная тема	Конструкции и лексика	Стр.
31	Глаголы: возвратные глаголы Verbs: Reflexive verbs	Активный отдых и виртуальный мир	Как называется? Кататься на …	6
32	Существительные, личные местоимения: Gen. (№ 2) Sing. Nouns, Personal pronouns: Gen. (№ 2) Sing.	Чего у тебя нет?	Это паспорт туриста. Чей, чья, чьё, чьи? Это центр города. Чего? У меня есть кошка. У кого есть …? Нет времени и денег. Нет кого / чего? Бутылка воды	14
33	Существительные: Gen. (№ 2) 2—4 + Gen. Sing. Предлоги: из, с, для, после, у, от, без, до + Gen. …, чтобы + Inf. Nouns: Gen. (№ 2) 2—4 + Gen. Sing. Prepositions: из, с, для, после, у, от, без, до + Gen. для чего… = …, чтобы + Inf.	Жизнь в Сибири	2, 3, 4 часа / минуты у, для, без, от, до, после для чего … = чтобы …	20
34	Глаголы: не было Местоимения: свой Verbs: не было Pronouns: свой	Гостиница	У меня был/а/о/и … / у меня не было … свой, своя, своё, свои	24
35	Глаголы: лететь / летать, плыть / плавать, бежать / бегать Существительные: из + Gen. (№ 2) в — из, на — с Verbs: лететь / летать, плыть / плавать, бежать / бегать Nouns: из + Gen. (№ 2) в — из, на — с	Идеальный отпуск	лететь — летать плыть — плавать бежать — бегать Откуда? из России, из Москвы, с работы	32
36	Существительные: Gen. Pl. Nouns: Gen. Pl.	Социальные сети	сколько, много, мало, нет, больше, меньше + Gen. Pl. У чемпионов много медалей.	40
37	Существительные: 5…, 20, 25… + Gen. Pl. Nouns: 5…, 20, 25… + Gen. Pl.	Сколько стоит?	Сколько времени? Какой у вас номер телефона?	46
38	Прилагательные: Gen. (№ 2) Adjectives: Gen. (№ 2)	Праздники	Двадцать первого марта Седьмого января	50
39	Существительные одушевленные: Accus. (№ 4) Animate nouns: Accus. (№ 4)	Культура	Я люблю Пушкина и Достоевского. ждать кого? который	54
40	Прилагательные: сравнительная степень Adjectives: comparative	Характер	больше / меньше, лучше / хуже + чем? намного, немного + Compar. Adj. + чем?	60
41	Глаголы: вид в Inf. Образование форм: писать — написать; подписать — подписывать; давать — дать; получать — получить Verbs: Aspect in Inf. Formation of aspect forms подписать — подписывать; давать — дать; получать — получить	Красивая жизнь	делать / сделать Хочу сделать тату. СВ/ Не хочу делать тату. НСВ пожить, поработать	66
42	Глаголы: вид в прошедшем времени Verbs: Aspect in Past Tense	Свадьба и отпуск	регулярно + НСВ один раз + НСВ/СВ никогда не + НСВ начать / закончить + НСВ Вы пробовали квас? НСВ никогда не + НСВ	76

43	Глаголы: Вид в будущем времени Нерегулярные глаголы: сказать, стать, встретить, дать Verbs: Aspect in Future Tense. Irregular verbs: сказать, стать, встретить, дать	Мечты и планы	Я буду любить тебя всю жизнь! НСВ Будешь кофе? Я всё сделаю! СВ -каз- / -ста- / -да-	86
44	Существительные, личные местоимения: Dat. (№ 3) Nouns, Personal pronouns: Dat. (№ 3)	Гениальные дети	дать кому? что? мне, тебе, ему, ей ... Мне 18 лет. Мне было / будет 25 лет.	94
45	Существительные, личные местоимения: Dat. (№ 3) Nouns, Personal pronouns: Dat. (№ 3)	Вкусы и эмоции	Мне хорошо! Мне было / будет трудно + Inf. Мне нравится ... / Мне понравился ... + Nom. / Inf.	100
46	Существительные, личные местоимения: Dat. (№ 3) Nouns, Personal pronouns: Dat. (№ 3)	Здоровье	Мне можно / нельзя / надо ...+ Inf. Мне нужен / нужна / нужно / нужны ...+ Nom. Как вы себя чувствуете? Я болею. / У меня болит голова.	106
47	Предлоги к, по + Dat. Глаголы: вид Prepositions к, по + Dat. Verbs: Aspect	День рождения	идти – ходить / ехать – ездить к + Dat. к кому? — у кого? экзамен по литературе не надо + НСВ Желаю тебе здоровья!	112
48	Глаголы: императив Verbs: Imperative	Советы иностранцам в России	Послушайте меня! СВ Не слушайте его! НСВ писать, пригласить	118
49	Глаголы: давайте + Inf. Зачем? ... чтобы + Inf.; ... чтобы + Past. Verbs: давайте + Inf. Зачем? ... чтобы + Inf.; ... чтобы + Past.	Как сделать жизнь лучше?	Давайте изучать русский! Давайте поговорим! – Зачем? – Чтобы жить хорошо. / – Чтобы все жили хорошо.	124
50	Существительные, личные местоимения: Instr. (№ 5) Nouns, Personal pronouns: Instr. (№ 5)	Кем быть?	работать руками / головой пицца с грибами быть / стать / работать + кем? (Instr.) интересоваться / увлекаться / заниматься + чем? (Instr.)	128
51	Прилагательные: Instr. (№ 5) Adjective: Instr. (№ 5)	Хобби и интересы	С какими людьми вам приятно общаться? должен / должна / должно / должны над, под, перед, за, между, рядом с + кем? чем?	134
52	Глаголы движения с префиксом по- Verbs of motion with the prefix по-	Маршрут	идти – пойти ехать – поехать	138
53	Глаголы движения с префиксами в-, вы-, при-, у-, пере-, за-. Виды глаголов движения. Verbs of motion with the prefixes в-, вы-, при-, у-, пере-, за-. Aspects of verbs of motion	Приезжайте в Россию! Приходите в гости!	войти — выйти, прийти — уйти, перейти, зайти; въехать — выехать, приехать — уехать, переехать, заехать входить — выходить, приходить — уходить, переходить, заходить; въезжать — выезжать, приезжать — уезжать, переезжать, заезжать	146
54	Отрицательные местоимения с ни- Negative pronouns with ни-	Обобщение. Вопросы и ответы	смотря куда, много где, мало кто, ни у кого зависеть от + Gen. никто, ничто, нигде, никак...	152
	Повторение 5		**Рабочая тетрадь**	

ПРИЛОЖЕНИЯ

Таблица 1. Падежные формы существительных	161
Таблица 2. Падежные формы прилагательных и существительных	162
Таблица 3. Падежные формы личных местоимений	163
Таблица 4. Падежные формы притяжательных местоимений	163
Таблица 5. Числительные	164
Таблица 6. Когда?	164
Рекомендации для преподавателей	165
Русская клавиатура	170
Источники иллюстраций	171

Условные знаки и сокращения

´	— ударение
m.	— мужской род
n.	— средний род
f.	— женский род
Sing.	— единственное число
Pl.	— множественное число
Nom.	— именительный падеж, Nominative № 1
Accus.	— винительный падеж, Accusative № 4
Prep.	— предложный падеж, Prepositional № 6
Instr.	— творительный падеж, Instrumental № 5
Gen.	— родительный падеж, Genitive № 2
Dat.	— дательный падеж, Dative № 3
Adj	— прилагательное
Inf.	— инфинитив
Compar.	— сравнительная степень, Comparative
!	— исключения
	— Слушаем! Есть аудиозапись
	— Пишем!
	— Читаем!
	— Говорим!
	— Работаем в паре.
	— одушевлённое существительное
	— одушевлённое существительное в Pl.
	— неодушевлённое существительное
	— неодушевлённое существительное в Pl.
	— к заданию есть ключ
∅	— нулевое окончание
СВ	— совершенный вид, Perfect
НСВ	— несовершенный вид, Imperfect
*	— нерегулярные глаголы

-СЯ

...		... -СЯ
учи́ть		учи́ться
открыва́ть	**+ AccUs.**	открыва́ться
закрыва́ть	**кого́?**	закрыва́ться
начина́ть	**что?**	начина́ться
зака́нчивать		зака́нчиваться
встреча́ть		встреча́ться

тренирова́ть
Инстру́ктор трениру́ет.

тренирова́ться
Спортсме́н трениру́ется!

учи́ть
Учи́тель у́чит дете́й.

учи́ться
Де́ти у́чатся.

ТРЕНИРОВА́ТЬСЯ

я трениру́ю-сь	мы трениру́ем-ся
ты трениру́ешь-ся	вы трениру́ете-сь
он/она́ трениру́ет-ся	они́ трениру́ют-ся

он тренирова́лся
она́ тренирова́лась
они́ тренирова́лись

УЧИ́ТЬСЯ

я учу́-сь	мы у́чим-ся
ты у́чишь-ся	вы у́чите-сь
он/она́ у́чит-ся	они́ у́чат-ся

он учи́лся
она́ учи́лась
они́ учи́лись

9.00-23.00

Магази́н открыва́ется в 9:00 и закрыва́ется в 23:00.

В Росси́и есть магази́ны «24 часа́», они́ никогда́ не закрыва́ются…

Ле́кции начина́ются в 9:00 и зака́нчиваются в 15:30.

  Что они делают?

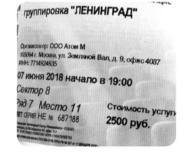

2 Что во сколько начинается/заканчивается?

Телепрограмма

 Первый канал

23:30 **Вечерний Ургант**
00:05 Ночные новости
00:20 Время покажет
01:10 Наедине со всеми
02:00 Мужское / Женское

 Россия 1

22:55 Вечер с Владимиром Соловьёвым
01:25 Сваты-5
03:30 Дар
05:00 Утро России
09:00 Вести

Матч ТВ

22:40 Футбол. Чемпионат Англии. Прямая трансляция
00:40 Все на Матч!
01:20 Гандбол. Чемпионат Европы. Женщины. Трансляция из Швеции
03:10 Детский вопрос
03:40 Десятка!

5 Канал

23:10 След
00:00 Большая любовь
01:55 Частный детектив, или Операция "Кооперация"
03:45 Тревожное воскресенье
06:00 Сейчас

Россия К

23:40 Уроки русского
00:10 Коломбо
01:40 Мон-Сен-Мишель. Архитектурное чудо Франции
01:55 Наблюдатель
06:30 Евроньюс

Россия 24

23:45 Вести
00:00 Вести
00:35 Экономика
00:40 Реплика
00:45 Мобильный репортер

Смотрим телепрограмму в Интернете, спрашиваем и отвечаем: во сколько начинается/ заканчивается футбол, программа «Вести», сериал и т. п.?

3   **Читаем, пишем слова, потом отвечаем на вопросы.**

Текст 1

В Росси́и жить о́чень комфо́ртно. Магази́ны, кафе́ и ба́ры _____ (открыва́ться) ра́но у́тром и _____ (закрыва́ться) по́здно ве́чером. Есть магази́ны, кото́рые не _____ (закрыва́ться) да́же но́чью. Лю́ди акти́вно покупа́ют но́чью проду́кты, напи́тки и да́же кни́ги. Все жи́тели и тури́сты о́чень ра́ды.

Когда́ магази́ны и рестора́ны открыва́ются, а когда́ закрыва́ются в ва́шей стране́? Э́то удо́бно? Они́ рабо́тают но́чью? Почему́?
Как вы ду́маете, э́то хорошо́, е́сли магази́ны и рестора́ны не закрыва́ются?

Текст 2

В Росси́и де́ти обы́чно начина́ют _____ (учи́ться) в шко́ле в 7 лет, и пото́м они́ _____ (учи́ться) 11 лет. Уро́ки в шко́ле _____ (начина́ться) в 9:00 и _____ (зака́нчиваться) днём. Рабо́та в о́фисе то́же обы́чно _____ (начина́ться) в 9:00 и _____ (зака́нчиваться) в 18:00.

А у вас в стране́? Во ско́лько лю́ди начина́ют и зака́нчивают рабо́ту?
Когда́ де́ти начина́ют учи́ться в шко́ле, а когда́ зака́нчивают?

1. Уро́к _____ (начина́ть/-ся), когда́ учи́тель _____ (начина́ть/-ся) говори́ть.
2. Вре́мя _____ (меня́ть/-ся) нас, но ты не _____ (меня́ть/-ся)!
3. Мы ча́сто _____ (встреча́ть/-ся) в кафе́, но я ре́дко _____ (встреча́ть/-ся) вас на лекции!
4. Когда́ ты _____ (фотографи́ровать/-ся), я то́же тебя́ _____ (фотографи́ровать/-ся).
5. Я _____ (трениро́ва́ть/ ся) оди́н, а кто тебя́ _____ (тренирова́ть/-ся)?
6. Ве́чером все магази́ны _____ (закрыва́ть/-ся), но мы не _____ (закрыва́ть/-ся) наш магази́н.
7. Ты _____ (собира́ть/-ся) чемода́н? Куда́ ты _____ (собира́ть/-ся) е́хать?
8. Ско́ро мы _____ (зака́нчивать/-ся) уро́к, но наш курс не _____ (зака́нчивать/-ся).

5 **Как это называется?**

Модель: — Как э́то называ́ется?
— Анана́с.

6  **Смотрим на картинки, спрашиваем и отвечаем.**

Модель: — Как называ́ется э́та маши́на?
— «Ки́а Ри́о».

«Зени́т»

«Ма́стер и Маргари́та»

«Ленингра́д»

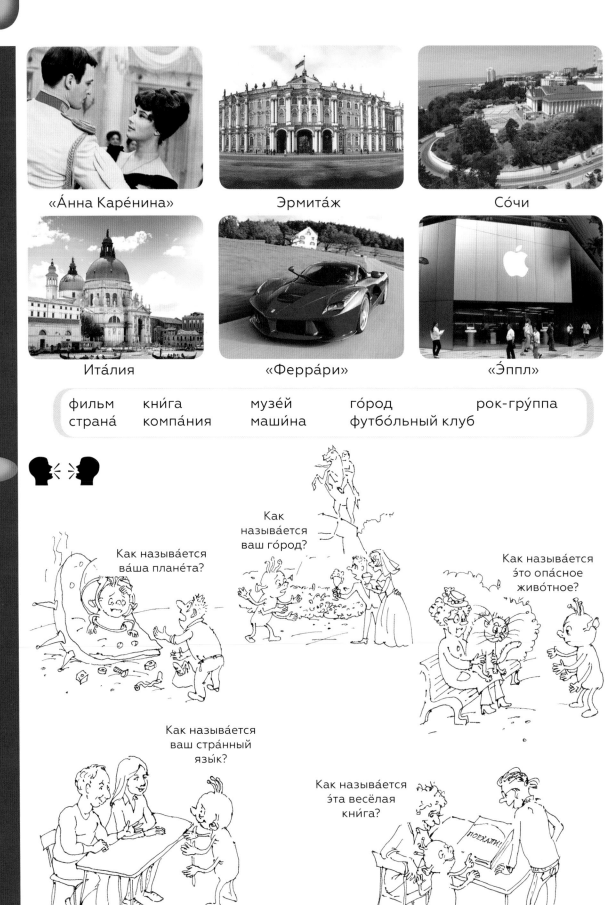

«А́нна Каре́нина»

Эрмита́ж

Со́чи

Ита́лия

«Ферра́ри»

«Эппл»

фильм	кни́га	музе́й	го́род	рок-гру́ппа
страна́	компа́ния	маши́на	футбо́льный клуб	

7

Как называ́ется ва́ша плане́та?

Как называ́ется ваш го́род?

Как называ́ется э́то опа́сное живо́тное?

Как называ́ется ваш стра́нный язы́к?

Как называ́ется э́та весёлая кни́га?

улыба́ться

я улыба́юсь	мы улыба́емся	он улыба́лся
ты улыба́ешься	вы улыба́етесь	она́ улыба́лась
он/она́ улыба́ется	они́ улыба́ются	они́ улыба́лись

боя́ться

я бою́сь	мы бои́мся	он боя́лся
ты бои́шься	вы бои́тесь	она́ боя́лась
он/она́ бои́тся	они́ боя́тся	они́ боя́лись

улыба́ться	смея́ться	стара́ться
боя́ться	обща́ться	надея́ться

улыба́ться

боя́ться

обща́ться

надея́ться

стара́ться

смея́ться

8   **ЧИТАЕМ ТЕКСТЫ, ПИШЕМ, ОТВЕЧАЕМ НА ВОПРОСЫ.**

Улы́бка

Говоря́т, что ру́сские ма́ло _____ (улыба́ться). Э́то пра́вда.
Ру́сские не _____ (улыба́ться) форма́льно, когда́ не зна́ют
вас. Мы _____ (улыба́ться), то́лько когда́ мы ра́ды. Мы ча́сто
_____ (смея́ться) и шу́тим. Мо́жет быть, мы ма́ло _____
(улыба́ться), но в тру́дной ситуа́ции мы хоро́шие друзья́.

А У ВАС В СТРАНЕ ЛЮДИ МНОГО УЛЫБАЮТСЯ?
КОГДА ВЫ УЛЫБАЕТЕСЬ, А КОГДА СМЕЁТЕСЬ?
КОГДА И ГДЕ НЕЛЬЗЯ СМЕЯТЬСЯ?
КОГДА ЧЕЛОВЕК УЛЫБАЕТСЯ, ОН ВАШ ДРУГ, ПРАВДА?

Виртуа́льный мир

Где мы живём? Ка́жется, мы живём в Интерне́те! Мы рабо́таем и отдыха́ем, _____ (встреча́ться) и _____ (обща́ться) в Интерне́те. Э́то наш но́вый виртуа́льный мир, а мо́жет быть, он уже́ реа́льный? Там на́ши друзья́, на́ши де́ньги, фо́то, люби́мые кни́ги и му́зыка...

Вы много общаетесь в Интернете?
Почему это так популярно?

9 **Вы согласны или не согласны?**

☐ 1. Мно́го смея́ться глу́по.
☐ 2. Ру́сские ма́ло улыба́ются, потому́ что на у́лице хо́лодно.
☐ 3. Е́сли де́вушка улыба́ется, она́ гото́ва встреча́ться.
☐ 4. Мно́го обща́ться — зна́чит теря́ть вре́мя.
☐ 5. Жить — зна́чит не боя́ться, а боя́ться — зна́чит не жить.
☐ 6. Е́сли зарпла́та ма́ленькая, на рабо́те не на́до стара́ться!

ката́ться **НА**

на чём?
велосипе́де
сноубо́рде
скейтбо́рде
лы́жах
мотоци́кле
ро́ликах
конька́х
ло́шади

10 **На чём они катаются?**

На чём вы катаетесь? На чём вы никогда не катались?

Я хорошо́...   Я пло́хо...   Я ча́сто ...   Ра́ньше я...   Я никогда́ не́...

> ката́ться на... тру́дно   ката́ться на... легко́
> ката́ться на... популя́рно   ката́ться на ... опа́сно

11   **Моде́ль:**
Студе́нт (е́здить / скейтбо́рд) в университе́т. ⇨
Студе́нт е́здит на скейтбо́рде в университе́т.

■ Велосипе́д — о́чень популя́рный тра́нспорт в Голла́ндии и Кита́е. Там лю́ди регуля́рно (е́здить / велосипе́д) на рабо́ту, в университе́т, в магази́н. В Росси́и лю́ди (ката́ться / велосипе́д) в свобо́дное вре́мя. Э́то тако́й о́тдых и спорт. Ката́ться в го́роде дово́льно опа́сно. Мы (ката́ться / велосипе́д) в па́рке и́ли на да́че.

■ Го́рные лы́жи — традицио́нный спорт в Евро́пе, но дово́льно но́вый в Росси́и. Но́вый, но уже́ люби́мый. Ру́сские лю́бят (ката́ться / го́рные лы́жи и сноубо́рд), но обы́чно де́лают э́то в А́встрии, во Фра́нции, в Швейца́рии, потому́ что там хоро́шая инфраструкту́ра. В Росси́и то́же есть места́, где мо́жно ката́ться, но их не так мно́го.

■ Ра́ньше все лю́ди (е́здить / ло́шади). Э́то бы́ло норма́льно. Сейча́с (ката́ться / ло́шадь) — дорого́е хо́бби. Де́ти ча́сто хотя́т лоша́дку, а бе́дные роди́тели не зна́ют, что де́лать. Хорошо́, что мо́жно (ката́ться / ло́шадь) в па́рке: де́ти о́чень ра́ды, и роди́тели то́же.

■ Фигу́рное ката́ние — традицио́нный ру́сский спорт. Все де́вочки прекра́сно (ката́ться / коньки́). Ма́льчики то́же, но они́ бо́льше лю́бят (игра́ть / хокке́й). Мы (ката́ться) не то́лько зимо́й, когда́ хо́лодно, но и ле́том. Ле́том ещё о́чень популя́рно (ката́ться / ро́лики). Э́то дёшево, поле́зно и интере́сно!

ВСЁ ХОРОШО, ЧТО ХОРОШО КОНЧАЕТСЯ.

12   **Слу́шаем и говори́м, какой день эти люди любят / не любят и почему. Какие из этих глаголов вы слышите? Пишем номера монологов (один глагол может быть несколько раз).**

ТВ01

общаться ....   заканчиваться ....
стараться ....   кататься ....
собираться ....   кончаться ....
тренироваться ....   встречаться ....

GENITIVE № 2

Ка́рта ми**ра**   Ка́рта Евро́**пы**

m., n.		**f.**
-А/-Я		-Ы/-И
центр го́род**а**	му́зыка Ба́х**а**	ка́рта Евро́**пы**
дипло́м О́ксфорд**а**	столи́ца Кита́**я**	президе́нт Росси́**и**

Я студе́нт университе́т**а**. Я изуча́ю культу́ру Росси́**и**.

①

Моде́ль: ка́рта (мир) ⇨ ка́рта **ми́ра**

дипло́м (университе́т)	чемпиона́т (мир)	о́пыт (рабо́та)
па́спорт (тури́ст)	де́ньги (клие́нт)	а́дрес (гости́ница)
но́мер (телефо́н)	пин-ко́д (ка́рта)	рейтинг (фильм)
центр (го́род)	дире́ктор (фи́рма)	президе́нт (Росси́я)

ЧЕЙ? ЧЬЯ? ЧЬЁ? ЧЬИ?

— Чей э́то телефо́н?   — Чья э́то фотогра́фия?
— Э́то телефо́н дире́ктор**а**.   — Э́то фотогра́фия подру́ги.

Это Екатери́на и Влади́мир.
Екатери́на — жена́ Влади́мира.
Влади́мир — муж Екатери́ны.

Это И́горь и О́льга.
Это Ди́ма — сын И́горя и О́льги.

  Модель: я́блоко, Ньюто́н ⇨
Это я́блоко **Ньюто́на**.

корпора́ция Microsoft

автома́т

маши́на «Те́сла»

мультфи́льм

шля́пка

«Ре́квием»

табли́ца

карти́на «Та́нец»

| Билл Гейтс | И́лон Маск | Кала́шников | Мати́сс |
| Уо́лт Ди́сней | короле́ва Елизаве́та | Мо́царт | Менделе́ев |

ЧЕГО?

буты́лка воды́
ли́тр молока́

килогра́мм сы́ра
ча́шка ча́я

кусо́к пи́ццы
буты́лка ко́лы

3

Модель: кусо́к хле́ба

Nom.	Gen.
что ⇨	чего́

| буты́лка | литр | бока́л | ча́шка | килогра́мм | кусо́к |

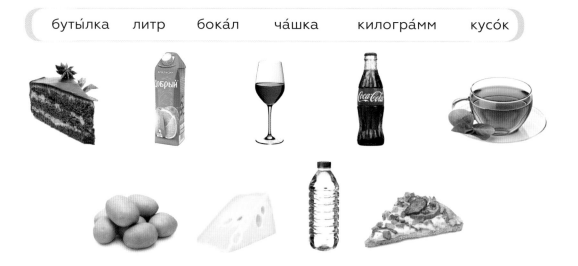

У + КОГО?

У кого́ есть всё? — **У** миллиарде́р**а** есть всё.
У бизнесме́н**а** есть иде́я, а **у** инве́стор**а** есть де́ньги.

кого́?	
меня́	нас
тебя́	вас
(н)его́	(н)их
(н)её	

Nom.	Gen.
кто ⇨	кого́

4

Ра́бота в па́ре.

Смо́трим на карти́нки, спра́шиваем и отвеча́ем. Спра́шиваем в гру́ппе.

Модель: — У кого́ есть ко́шка? — **У Ле́ны.**
— У кого́ в гру́ппе есть ко́шка, а у кого́ нет?

| ко́шка | попуга́й | гита́ра | меда́ль | скейтбо́рд | раке́тка |

Иван

Лена

Миша

Марат

Катя

Кевин

НЕТ + КОГО? ЧЕГО?

ЕСТЬ + Nom.   **НЕТ + Gen.**

— **Что есть** в гостинице?
— В гостинице **есть бассейн**.

— **Чего нет** в гостинице?
— В гостинице **нет** бассейн**а**.

— **Что** у вас **есть**?
— У меня **есть всё**.

— **Чего** у вас **нет**?
— У меня **нет ничего**.

— **Кого** сегодня **нет** в классе? — Сегодня **нет** Эрик**а** и Сандр**ы**.
— **Чего нет** у студента? — У студента **нет** диплом**а**, работ**ы** и **денег**.

Нет человек**а** — **нет** проблем**ы**.

время — времени,
деньги — денег
!

5 🎧 🗣 СЛУШАЕМ ДИАЛОГИ, СМОТРИМ НА КАРТИНКИ И ГОВОРИМ, ЧЕГО НЕТ В КАФЕ И ЧЕГО НЕТ В РЕСТОРАНЕ.

🎧 TB02

В кафе нет...

В ресторане нет...

WiFi

6 РАБОТАЕМ В ПАРЕ. ЧТО У ВАС ЕСТЬ? ЧЕГО У ВАС НЕТ? ПОЧЕМУ?

Модель: — У вас есть **соба́ка**?
— Нет, у меня́ нет **соба́ки**, потому́ что я не люблю́ гуля́ть.

соба́ка	тре́нер	вре́мя	дом	би́знес
маши́на	гара́ж	миллио́н	душа́	сайт
муж	жена́	семья́	о́тчество	секрета́рь
телеви́зор	рабо́та	пистоле́т	мотоци́кл	флаг

7 НОЧЬЮ В КО́МНАТЕ БЫЛ ВОР. ЧТО ТАМ РА́НЬШЕ БЫЛО? ЧЕГО ТАМ ТЕПЕ́РЬ НЕТ?

карти́на, ва́за, ноутбу́к, телеви́зор, скульпту́ра, су́мка, гита́ра, окно́, па́спорт, фотоаппара́т, кни́га «Пое́хали!»

8 Работаем в группе. Спрашиваем, у кого в группе что есть и чего нет. Рассказываем.

Модель: — Áнна, у тебя **есть кáктус**?
— Нет, у меня нет кáктуса. ⇨
— У Áнны **нет кáктуса**.

 9 Работаем активно! Как вы думаете, это проблема или не проблема? Почему?

Модель:

ребёнок — друг	⇨ У ребёнка **нет дру́га**.	⇨ Это проблéма!
ребёнок — компью́тер	⇨ У ребёнка **нет компью́тера**.	⇨ Это не проблéма.

ребёнок — собáка   ребёнок — компью́тер
студéнт — мотивáция   по́вар — соль
пассажи́р — билéт   пассажи́р — багáж
тури́ст — ви́за   тури́ст — фотоаппарáт
до́ктор — дипло́м   до́ктор — о́пыт
собáка — дом   собáка — медáль

жéнщина — муж   мужчи́на — женá
человéк — рабóта   человéк — пáспорт
странá — áрмия   странá — террито́рия
спортсмéн — трéнер   спортсмéн — до́пинг
официáнтка — сдáча   человéк — дéньги

СКОЛЬКО: 2, 3, 4

1, 21... + Nom.

m.	n.	f.	pl.
оди́н друг	одно́ сло́во	одна́ маши́на	одни́ очки́

2, 3, 4, 22, 34... + Gen. Sing.

два бра́та	два сло́ва	две пи́ццы
два дру́га	два письма́	две подру́ги

5... 20, 25... + ? (Урок 37)

1

Модель: оди́н дом — **два** до́ма; одна́ маши́на — **две** маши́ны

кот		соба́ка	

карти́на		ключ	

рубль		ме́сто	

до́ллар		мину́та	

2

1. Я изуча́ю ру́сский язы́к 3 (ме́сяц). Я уже́ зна́ю 3 (сло́во)!
2. Серге́й — спортсме́н-марафо́нец. Для него́ 42 (киломе́тр) — норма́льная диста́нция! Для меня́ 3 (киломе́тр) — катастро́фа. А для вас?
3. Э́та кварти́ра 32 (метр). Здесь мо́гут жить 4 (челове́к)?
4. Мы мно́го гуля́ли и о́чень уста́ли. Пожа́луйста, 2 (пи́цца) и 4 (пи́во)!
5. У нас 4 (ребёнок): 2 (до́чка) и 2 (сын).
6. Иису́с Христо́с жил 33 (год), но лю́ди по́мнят его́ 2 (ты́сячи) лет.

ПРЕДЛОГИ

из	для	у	без	+ Gen.
с	по́сле	от	до	

из теа́тра
с рабо́ты
оде́жда **для** спо́рта
по́сле рабо́ты
от до́ма **до** рабо́ты 2 киломе́тра

жить **у** дру́га
оди́н день **до** экза́мена

ко́фе **без** са́хара

2 км

3 У ВАС ЕСТЬ ... ?

Моде́ль:

ме́сто (парко́вка маши́ны) ⇨ У вас есть ме́сто **для** парко́вки маши́ны?

оде́жда (рабо́та)   о́бувь (спорт)   оде́жда (соба́ка)
су́мка (ноутбу́к)   су́мка (ко́шка)   ви́лка (десе́рт)
ко́мната (о́тдых)   ме́сто (велосипе́д)   ша́пка (са́уна)

4 ВЫ МО́ЖЕТЕ ЖИТЬ БЕЗ ... ? ПОЧЕМУ́?

Интерне́т	му́зыка	телеви́зор	рабо́та	де́ньги	о́тпуск
спорт	семья́	соба́ка	мо́ре	дом	маши́на

5

 Без, из, для, с, после, у.

1. Я ищу работу _____ (стресс). А вы?
2. Я хочу жить в Испании. Я люблю спать _____ (обед). А вы?
3. Идеальная семья: когда жена делает всё _____ (муж), а муж — _____ (жена).
4. Моя дочка говорит, что ребёнок не может жить _____ (собака).
5. Все знают, что _____ (миллионер) хорошая жизнь.
6. _____ (вода) нет _____ (жизнь), а _____ (любовь) нет _____ (счастье).
7. Студенты часто не знают, где работать _____ (университет).
8. _____ (паника)! Я ваш новый учитель!
9. Родители идут домой _____ (работа), а дети — _____ (школа).

6

 Смотрим на слова и говорим:

Где вы живёте?
Что есть и чего нет у вас в стране, городе, деревне?
Чего обычно нет в деревне?
Как вы думаете, что есть в Сибири? Почему люди живут там?
Как вы думаете, без чего не могут жить русские?
Без чего не могут жить люди в вашей стране?

снег	бассейн	школа	банк	президент
супермаркет	Интернет	полиция	зоопарк	тюрьма
университет	клиника	ресторан	аэропорт	природа
стадион	музей	театр	комфорт	метро...

  Читаем. Пишем. Слушаем и проверяем.

TB03

Жизнь в Сибири

Здравствуйте! Меня зовут Макар. Я живу в Сибири, в деревне далеко от _____ (город). Мы живём хорошо: у нас есть лес, большая река Енисей, много _____ (снег) зимой и много _____ (работа) летом. У нас нет _____ (бассейн), но есть холодная река, нет _____ (фитнес-клуб), но есть физическая работа, нет _____ (супермаркет), но есть лес и тайга. В деревне есть школа и два _____ (магазин). У нас нет _____ (врач), и до _____ (врач) ехать 254 _____ (километр), но здесь прекрасная экология, и у нас сибирское здоровье! У нас нет _____ (Интернет), нет _____ (полиция), нет _____ (университет), нет _____ (аэропорт). У нас нет почти ничего, но есть _____ (природа): большая река и тайга до _____ (горизонт).

 Вы можете жить без комфорта? А без природы?
Без чего вы не можете жить, а без чего можете легко?
Как вы думаете, человек может жить без денег? Без любви? Без свободы?

22

| ДЛЯ | + | чего? (Gen.) | = | ЧТÓБЫ | + | Inf. |

Я рабóтаю,
- чтóбы жить
- чтóбы зарабáтывать дéньги
- чтóбы общáться

7 **Для/чтобы.**

Модéль:

| рабóты | ⇨ | для рабóты |
| рабóтать | | чтобы́ рабóтать |

жить дóма
бúзнеса отдыхáть
спóрта спать
жúзни учúться

8   ОТВЕЧАЕМ НА ВОПРОСЫ. ЧИТАЕМ ТЕКСТ.

ДЛЯ ЧЕГО ВЫ РАБОТАЕТЕ?
ДЛЯ ЧЕГО ЛЮДИ ИЗУЧАЮТ ЯЗЫКИ?
ДЛЯ ЧЕГО ВЫ ИЗУЧАЕТЕ РУССКИЙ?
ДЛЯ ЧЕГО ЛЮДИ ПУТЕШЕСТВУЮТ?

Для чегó лю́ди рабóтают?

Сáмый простóй отвéт: чтобы́ **зарабáтывать**. Но э́то слúшком прóсто! Éсли лю́ди рабóтают тóлько для дéнег, почемý не все выбирáют рабóту, где сáмая высóкая **зарплáта**? Почемý лю́ди иногдá рабóтают **беспла́тно**? Почемý лю́ди рабóтают, когдá у них ужé мнóго дéнег? **Волонтёры**, напримéр, мнóго дéлают для мúра и для прирóды. Религиóзные лю́ди всё дéлают для Бóга. Учёные рабóтают для **наýки** и прогрéсса, дáже когдá у них мáленькая **зарплáта**. Писáтель пúшет для читáтеля, а полúтик рабóтает для **нарóда** и страны́. Как мúнимум полúтики обы́чно так говоря́т. Конéчно, лю́ди дéлают óчень мнóго для семьú.

А когдá лю́ди дéлают то, что лю́бят, мы говорúм, что онú дéлают э́то для **душú**.

 ДЛЯ ЧЕГО ВЫ РАБОТАЕТЕ?
ЧТО ОБЫЧНЫЕ ЛЮДИ МОГУТ ДЕЛАТЬ ДЛЯ МИРА? ДЛЯ ПРИРОДЫ? ДЛЯ СТРАНЫ?
ЧТО НАДО ДЕЛАТЬ ДЛЯ БОГА?
КАК ВЫ ДУМАЕТЕ, ДЛЯ ЧЕГО РАБОТАЮТ ПОЛИТИКИ?
ВЫ МОЖЕТЕ РАБОТАТЬ БЕСПЛАТНО?
ЧТО ВЫ ДЕЛАЕТЕ ДЛЯ ДУШИ?

УРОК 34

У МЕНЯ БЫЛ... — У МЕНЯ НЕ БЫЛО...

| У меня | **был** экза́мен.
бы́ло вре́мя.
была́ маши́на. | У меня | **не́ было** экза́мена.
не́ было вре́мени.
маши́ны. |

1 **Что у них было и чего не было в детстве? А у вас?**

Ро́берт

(+) велосипе́д   (+) гита́ра   (−) ноутбу́к   (−) де́ньги   (−) маши́на

Е́ва

(+) соба́ка   (+) друзья́   (−) смартфо́н   (−) пи́рсинг   (−) Инстагра́м

Рома́н и А́нна

(+) констру́ктор   (+) телеви́зор   (−) Интерне́т   (−) Фейсбу́к   (−) компью́тер

2   **Что у вас было? Чего у вас никогда не было? Почему?**

Модель:
— У вас была́ ко́шка?
— У меня́ никогда́ **не́ было** ко́шки, потому́ что ра́ньше у меня́ **была́** аллерги́я.

ко́шка	соба́ка	рабо́та	аллерги́я
любо́вь	мотоци́кл	попуга́й	секрета́рь
пистоле́т	депре́ссия	миллио́н	сва́дьба
я́хта	«мерседе́с»	раб	коро́на

Я неда́вно отдыха́л в необы́чной гости́нице. Там не́ было рестора́на, бассе́йна, спортза́ла, в но́мере не́ было телеви́зора, Интерне́та и ми́ни-ба́ра. Но ря́дом был прекра́сный пляж, тёплое мо́ре и краси́вые па́льмы.

ГОСТИНИЦА

гости́ница   оте́ль

2 звезды́ ★★	3 звезды́ ★★★	4 звезды́ ★★★★	5 звёзд ★★★★★

Но́мер: одноме́стный   двухме́стный   трёхме́стный

одна́ крова́ть   две крова́ти   три крова́ти

ку́хня   холоди́льник   ми́ни-ба́р

душ   ва́нна   джаку́зи   полоте́нце   WC туале́т

окно́   дверь   вид на мо́ре/го́род/го́ры/парк

спортза́л   са́уна   парко́вка

3 Смотрим рекла́му и говорим, что в гости́ницах есть и чего там нет. Что там можно, а чего нельзя делать?

КАК ВЫ ДУМАЕТЕ?

Хорошо́ и удо́бно, когда́ в гости́нице есть…
Пло́хо, когда́ в гости́нице нет…

ОТВЕЧАЕМ НА ВОПРОСЫ:

• Каки́е гости́ницы вы лю́бите, дороги́е и́ли дешёвые?
• Вы по́мните са́мую хоро́шую и са́мую плоху́ю гости́ницу, где вы бы́ли?
• Что там бы́ло и чего́ там не́ было?

Урок 34

4
ТВ04

🎧 **Диалог 1**

СЛУШАЕМ ДИАЛОГ И ВЫБИРАЕМ:

1. На ско́лько ноче́й: ☐ на одну́ ночь ☐ на две но́чи ☐ на неде́лю
2. Кака́я пробле́ма: ☐ друг ☐ сосе́д ☐ соба́ка

📖 ЧИТАЕМ ДИАЛОГ:

— До́брый ве́чер!

— Здра́вствуйте, я вас слу́шаю!

— Я брони́ровал но́мер на две .

— Да, как ва́ша фами́лия?

— Фёдоров.

— А и́мя?

— Константи́н.

— Да, мину́тку! Ваш но́мер 321. А э́то кто?

— Э́то Рекс. А что?

— Нет, то́лько без , пожа́луйста!

— Как без ?! — друг челове́ка!

— У нас в 🏢 сосе́д — друг челове́ка! А е́сли у сосе́да аллерги́я?

— Что же де́лать? Я без соба́ки не могу́...

— Я зна́ю недалеко́ хоро́ший 🏠 для 🐕 .

Диалог 2

🎧 СЛУШАЕМ ДИАЛОГ И ВЫБИРАЕМ:

Но́мер сто́ит: ☐ 1000 ☐ 4000

В но́мере есть: ☐ окно́ ☐ дверь ☐ телеви́зор
☐ душ ☐ сосе́ди ☐ холоди́льник

📖 ЧИТАЕМ ДИАЛОГ:

— Здра́вствуйте! Я ищу́ дешёвую гости́ницу в це́нтре...

— Отли́чно! У нас са́мая дешёвая гости́ница, мо́жете бо́льше не иска́ть!

— Как хорошо́! У вас есть свобо́дный но́мер?

26

— Конéчно, есть! И тóлько за ты́сячу. Итáк, нóмер на однý 🌙 ?

— Éсли мóжно, на три 🌙🌙🌙 .

— Да, пожáлуйста! Ваш 📕 ?

— А мóжно без 📕 ?

— Нет, без 📕 нельзя́!

— Хорошó, вот он...

— Спаси́бо! Вы хоти́те нóмер на три и́ли на четы́ре 🚶 ?

— Что? Я в нóмере не оди́н?

— Éсли вы плáтите 4 ты́сячи, вы мóжете быть оди́н, а éсли вы плáтите тóлько ты́сячу, у вас в нóмере 2 и́ли 3 сосéда.

— Хорошó, а 🚿 есть?

— Конéчно, есть. Два 🚿🚿 на пéрвом этажé, а в нóмере 🚿 нет.

— Всё я́сно. А 📺 и 🗄 есть?

— 📺 нет. 🗄 тóже нет, но э́то не проблéма, там сейчáс хóлодно.

— Бóже... А какóй вид из 🪟 ?

— 🪟 тóже нет, но есть 🚪 !

— Да! Э́то хорошó. Где здесь 🚪 ?

— Кудá вы?!

5 🗣 **Что делать?**

- Вы снимáете нóмер в гости́нице, но там кури́ли, а у вас аллерги́я.
- На пéрвом этажé гости́ницы дискотéка, и вы не мóжете спать.
- Вы встрéтили в бáре свою́ любóвь, но администрáтор гости́ницы говори́т, что у вас одномéстный нóмер и гóсти не мóгут спать там.
- Вы резерви́ровали нóмер в гости́нице, но администрáтор не ви́дит в компью́тере вáше и́мя.
- У́тром у вас в сýмке в нóмере бы́ли дéньги, а вечéром сýмка есть, а дéнег нет.
- Вы дýмаете, где отдыхáть в выходны́е. Вы хоти́те в спа-отéль, а ваш партнёр лю́бит акти́вный óтдых.

6 **ОТВЕЧАЕМ НА ВОПРОСЫ:**

• Какие необычные гостиницы вы знаете?
• Вы больше любите стандартные гостиницы или необычные? Почему?

ЧИТАЕМ ТЕКСТ.

Самые интересные гостиницы мира

Сегодня мы все много путешествуем и часто отдыхаем в гостиницах. Есть стандартные гостиницы, но есть и необычные.

■ В Лапландии, на севере Финляндии, есть гостиница из стекла. Там нет телевизора, но у гостя есть небо и звёзды, а иногда — северное сияние! Правда, в номере нет душа, но есть душ и сауна недалеко от номера.

■ В аэропорту Стокгольма, столицы Швеции, организовали отель в... салоне самолёта. Правда, комнаты маленькие, в номере есть телевизор, но нет душа и даже туалета — туалет в коридоре, как обычно в самолёте. В отеле есть один дорогой номер люкс — в кабине пилота!

■ На севере Швеции есть ещё одна очень необычная гостиница — «Айсхотел». Как вы понимаете, это гостиница из... снега! В номере есть тёплая одежда, две или три кровати, и, конечно, в отеле бесплатная сауна! Летом нет снега, поэтому отель работает только зимой, с декабря до апреля. Каждый год строят новые номера и делают новый интересный дизайн. Температура ночью может быть −3 или −4 градуса. Конечно, в номере нет душа и туалета, они в тёплой части отеля.

■ Если в Швеции есть отель в самолёте, то на юге Англии компания «Рэйлхолидэй» приглашает отдыхать в отеле-поезде! Сегодня у отеля есть 4 вагона. В вагоне спальня, кухня, душ, туалет и гостиная. Интересно, а есть ещё отели из транспорта? Конечно!

■ В Германии есть гостиница «V8» — рай для любителя автотранспорта. Там есть диван из «фольксвагена», кровать из «мерседеса» и комната в стиле гаража.

■ В Канаде, на острове Ванкувер, тоже есть уникальный отель. Гости отеля могут жить... на дереве! В гостинице только 3 номера, и в номере нет душа, но есть холодильник и музыкальная система. Самое важное здесь — прекрасный вид из номера на лес до горизонта!

Читаем текст ещё раз, ищем все формы Gen. Отвечаем на вопросы:

- Како́й оте́ль вы выбира́ете для о́тпуска?
- Как вы ду́маете, вы мо́жете спать в оте́ле из сне́га?
- А в но́мере, где сте́ны из стекла́?
- Вы лю́бите атмосфе́ру ми́ра и медита́ции?
- Каку́ю ещё атмосфе́ру вы лю́бите?
- Вы хоти́те спать на крова́ти из «мерседе́са»?
- Из чего́ ещё мо́жет быть интере́сная ме́бель?

СВОЙ — СВОЁ — СВОЯ — СВОИ

Э́то Ко́нрад Хи́лтон.
Он стро́ил **свои** гости́ницы.
Тури́сты лю́бят **его́** гости́ницы.

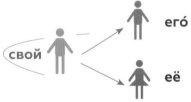

| мой, твой, наш, ваш | = | свой |

Э́то **мой** го́род.
Я люблю́ **мой** го́род. = Я люблю́ **свой** го́род.

Э́то на́ша страна́.
Мы лю́бим **на́шу** страну́. = Мы лю́бим **свою́** страну́.

Э́то на́ше **метро́**.
Мы хорошо́ зна́ем **на́ше** метро́. = Мы хорошо́ зна́ем **своё** метро́.

Э́то **ва́ши** де́ньги? Где вы храни́те **свои́** де́ньги?

Его́, её, их ≠ свой

Он берёт **свои** де́ньги. ≠ Он берёт **его́** де́ньги.

Мо́царт хорошо́ игра́л **свою́** му́зыку. ≠ Мы игра́ем **его́** му́зыку.

Áлекс продаёт ＿＿＿＿＿ маши́ну.

Дени́с покупáет ＿＿＿＿＿ маши́ну.

Худо́жник рису́ет ＿＿＿＿＿ портре́т.

Марк смо́трит на ＿＿＿＿＿ портре́т.

Дми́трий стро́ит ＿＿＿＿＿ дом.

Они́ стро́ят ＿＿＿＿＿ дом.

Бáбушка и́щет ＿＿＿＿＿ очки́.

Вся семья́ и́щет ＿＿＿＿＿ очки́.

Модель:

Турист любит _____ собаку.	⇨	Турист любит **свою** собаку.
Администратор гостиницы не любит _____ собаку.		Администратор гостиницы не любит **его** собаку.

1. Люди часто критикуют _____ страну, но не любят, когда другие критикуют _____ страну.

2. Родители тратят _____ деньги. Дети сначала тратят _____ деньги, а потом _____ .

3. Кандинский хорошо понимал _____ картины. Музеи любят _____ картины. А вы понимаете _____ картины?

4. Турист даёт _____ паспорт и _____ кредитную карту. Администратор гостиницы берёт _____ паспорт и карту.

5. Таня не любит _____ фотографии и плачет, когда друзья постят _____ фотографии в Интернете.

6. У вас есть друзья? Вы смотрите _____ фотографии? А вы показываете _____ фотографии?

7. Это наш сосед, а это его пианино. Он очень любит _____ пианино, а мы не любим слушать _____ пианино.

8. Таксист продаёт _____ машину, но никто не хочет покупать _____ машину.

  ЧТО ДЕЛАТЬ, ЕСЛИ ЧЕЛОВЕК ЭТО НЕ ЛЮБИТ? ДАЙТЕ СВОИ СОВЕТЫ.

Модель:
— Что делать, если человек не любит **свою фигуру**?
— Если человек не любит **свою фигуру**, надо бегать в парке.

фигура	возраст	характер	работа
имя	фамилия	жена	страна

ЛЕТЕТЬ / ЛЕТАТЬ   ПЛЫТЬ / ПЛАВАТЬ   БЕЖАТЬ / БЕГАТЬ

лететь ➡		летать ⇄	
я лечу́	мы лети́м	я лета́ю	мы лета́ем
ты лети́шь	вы лети́те	ты лета́ешь	вы лета́ете
он/она́ лети́т	они́ летя́т	он/она́ лета́ет	они́ лета́ют

О́сенью пти́цы летя́т на юг.   Мы ча́сто лета́ем в Гре́цию.

плыть ➡		пла́вать ⇄	
я плыву́	мы плывём	я пла́ваю	мы пла́ваем
ты плывёшь	вы плывёте	ты пла́ваешь	вы пла́ваете
он/она́ плывёт	они́ плыву́т	он/она́ пла́вает	они́ пла́вают

Мы плывём на Барбадо́с.   Я люблю́ пла́вать.

бежа́ть ➡		бе́гать ⇄	
я бегу́	мы бежи́м	я бе́гаю	мы бе́гаем
ты бежи́шь	вы бежи́те	ты бе́гаешь	вы бе́гаете
он/она́ бежи́т	они́ бегу́т	он/она́ бе́гает	они́ бе́гают

Ко́шка бежи́т от соба́ки.   Футболи́сты мно́го бе́гают.

1   НА ЧЁМ МО́ЖНО ЛЕТА́ТЬ, А НА ЧЁМ ПЛА́ВАТЬ?

самолёт

ло́дка

раке́та

косми́ческий кора́бль

кора́бль

я́хта

Вре́мя бежи́т идёт лети́т.

Го́ды, дни, мину́ты иду́т, бегу́т, летя́т.

2 Что они делают: иду́т, хо́дят, е́здят, пла́вают, лета́ют или бе́гают?

Модель: Дельфи́ны **пла́вают**, но не **хо́дят** и не **лета́ют**.

3 📖 🎧 ЧИТАЕМ ДИАЛОГИ, ПОТОМ СЛУШАЕМ.

🎧 **TB05**

1.

— Куда́ ты ?

— Я в парк. Я ка́ждое у́тро. А ты?

— А я сейча́с в бассе́йн. Я  2 ра́за в неде́лю.

2.

— Смотри́те, как бы́стро он !

— Да, э́то но́вый чемпио́н! Жаль, что я не уме́ю так бы́стро !

3.

— Здра́вствуйте, ваш па́спорт! Куда́ вы 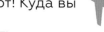 ?

— Я в И́ндию рабо́тать.

— Стра́нно! А я обы́чно в И́ндию отдыха́ть.

4.

— Где вы бы́ли ле́том?

— Мы в Вене́цию. Там лю́ди не  на маши́не, там все

 на гондо́ле.

— А мы в Еги́пет и в мо́ре.

5.

— Приве́т! Вы  в суббо́ту на конце́рт?

— Нет, мы не мо́жем. Мы у́тром в аэропо́рт.

— А куда́ вы ?

— Мы в Гре́цию, на Крит, а пото́м на о́стров Сантори́ни.

— Здо́рово! Мы на Крит 2 го́да наза́д и то́же на Сантори́ни.

4 Спрашиваем и отвечаем:

1. Что вы бо́льше лю́бите: ходи́ть пешко́м и́ли е́здить на маши́не? Вы мно́го е́здите на велосипе́де? На чём хорошо́ е́здить в го́роде, а на чём — пло́хо? Как вы ду́маете, е́здить на мотоци́кле опа́сно? Вы е́здили на ло́шади и́ли на соба́ках? А хоти́те? Каки́е у вас аргуме́нты? Наприме́р: е́сли вы е́здите на соба́ках, вы мо́жете паркова́ться без сигнализа́ции.

2. Вы лю́бите пла́вать? Вы хорошо́ пла́ваете? Кто пла́вает о́чень хорошо́? Вы пла́вали в реке́ / о́зере / мо́ре / океа́не / бассе́йне? Вы пла́вали на круи́зном корабле́? Вы пла́вали на я́хте? Где хорошо́ пла́вать? А где хорошо́ пла́вать зимо́й? Где нельзя́ пла́вать?

3. Вы лю́бите бе́гать? Вы бе́гаете бы́стро и́ли далеко́? Кто бы́стро бе́гает? Вы бе́гали марафо́н? А хоти́те? Вы бе́гаете у́тром и́ли ве́чером? Где хорошо́ бе́гать: на у́лице / в па́рке / в лесу́ / на стадио́не? Как вы ду́маете, бе́гать поле́зно для здоро́вья и́ли нет?

4. Вы лю́бите лета́ть на самолёте? Вы ча́сто лета́ете на самолёте? Куда́ вы лета́ли? Вы хоти́те лета́ть, как пти́цы? Что де́лать, е́сли челове́к бои́тся лета́ть на самолёте? Как вы ду́маете, лета́ть в ко́смос интере́сно?

ОТКУДА: ИЗ + GENITIVE

— Отку́да вы?
— Я из Красноя́рска, из Сиби́ри.
— А я из Ванку́вера, из Кана́ды.

— Мы из Санкт-Петербу́рга, из Росси́и. А вы отку́да? Отку́да ва́ша семья́?

5 🗣️ 🔑 **ОТКУДА ЭТИ СПОРТСМЕНЫ?**

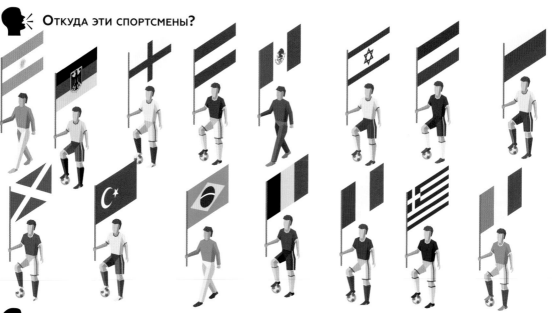

6 🗣️ 🔑 **КАКИЕ ФУТБОЛЬНЫЕ КЛУБЫ ВЫ ЗНАЕТЕ? ОТКУДА ОНИ?**

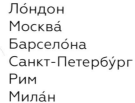

Ло́ндон	Мадри́д
Москва́	Амстерда́м
Барсело́на	Мю́нхен
Санкт-Петербу́рг	Тури́н
Рим	Ливерпу́ль
Мила́н	

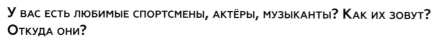

У ВАС ЕСТЬ ЛЮБИМЫЕ СПОРТСМЕНЫ, АКТЁРЫ, МУЗЫКАНТЫ? КАК ИХ ЗОВУТ? ОТКУДА ОНИ?

	ГДЕ?			ГДЕ?	
КУДА?	**В**	ОТКУДА?	КУДА?	**НА**	ОТКУДА?
В + Accus.	**В** + Prep.	**ИЗ** + Gen.	**НА** + Accus.	**НА** + Prep.	**С** + Gen.
в Москву́	в Москве́	из Москвы́	на уро́к	на уро́ке	с уро́ка

Куда?	Где?	Откуда?
В/НА + Accus.	**В/НА + Prep.**	**ИЗ/С + Gen.**
в Петербу́рг	в Петербу́рге	из Петербу́рга
на рабо́ту	на рабо́те	с рабо́ты
в Росси́ю	в Росси́и	из Росси́и

(в — из)   (на — с)

7 Куда вы ходили/ездили? Где вы были? Откуда вы едете?

Модель: клуб — концерт ⇨

Куда́ вы ходи́ли?	Где вы бы́ли?	Отку́да вы идёте?
Я ходи́л в клуб на конце́рт.	Я был в клу́бе на конце́рте.	Я иду́ из клу́ба с конце́рта.

о́фис — рабо́та	Вене́ция — карнава́л	спортза́л — трениро́вка
университе́т — экза́мен	Барсело́на — футбо́л	И́ндия — сва́дьба

8 Отвечаем на вопросы:

- Когда́ вы слы́шите сло́во «тури́зм», каки́е у вас ассоциа́ции?
- Как вы ду́маете, тури́зм — хоро́ший би́знес?
- Почему́ сего́дня тури́зм тако́й популя́рный?
- Вы хоти́те рабо́тать в тури́зме?
- Каки́е стра́ны сего́дня туристи́ческие, а каки́е — нет? Как вы ду́маете, почему́?
- Е́сли вы дире́ктор турфи́рмы, каки́е ту́ры вы хоти́те организова́ть?
- Вы лю́бите ходи́ть в музе́и? Покупа́ть сувени́ры? Де́лать се́лфи? Смотре́ть бале́т и слу́шать о́перу?

ИДЕАЛЬНЫЙ ОТПУСК

9 Что для вас важно в отпуске? Почему? Делаем рейтинг **(1–10)**, а потом сравниваем результаты.

.... мо́ре
.... комфо́рт
.... культу́ра
.... экзо́тика
.... акти́вный о́тдых

.... хоро́шая ку́хня
.... тёплый кли́мат
.... безопа́сность
.... шо́пинг
.... цена́

А сейчас вместе выбираем идеальное место отдыха для каждого студента.

10 Читаем текст и отвечаем на вопросы.

Круи́з

Ра́ньше пла́вать на корабле́ бы́ло тру́дно и опа́сно. Там не́ было комфо́рта, э́то была́ тяжёлая рабо́та и большо́й риск. Никто́ не ду́мал, что на корабле́ мо́жно отдыха́ть. Сейча́с э́то популя́рный о́тдых. В круи́зе есть всё, что лю́бят тури́сты: мо́ре, комфо́рт и хоро́ший се́рвис, интере́сная програ́мма, и э́то не сли́шком до́рого.

Снача́ла вы лети́те на самолёте в го́род, где начина́ется ваш круи́з. Мо́жет быть, вы е́дете на по́езде и́ли на такси́, е́сли э́то не о́чень далеко́. А пото́м вы плывёте на большо́м корабле́, наприме́р, из Флори́ды на Барбадо́с и́ли из Вене́ции на Сици́лию.

Почти́ ка́ждый день — но́вое ме́сто: в одно́м ме́сте прекра́сный пляж, в друго́м — интере́сный музе́й, в тре́тьем — ме́стный ры́нок и краси́вый ста́рый го́род. Ка́ждое у́тро вы идёте на бе́рег, пла́ваете в мо́ре и́ли смо́трите но́вые города́, покупа́ете сувени́ры и фотографи́руетесь, а ве́чером плывёте в друго́й порт.

А е́сли кора́бль весь день в мо́ре — то́же не пробле́ма, у вас есть большо́й вы́бор: казино́, библиоте́ка, клуб, спортза́л, кино́, теа́тр, ба́ры, магази́ны и рестора́ны. Се́рвис прекра́сный, ку́хня отли́чная, прия́тная атмосфе́ра и краси́вые ви́ды. Коне́чно, за всё на́до плати́ть, но э́то не так до́рого, как лю́ди обы́чно ду́мают. Про́сто рай на земле́! И́ли на воде́...

Но всегда́ есть небольшо́й риск: мо́ре не берёт ва́ши де́ньги, и оно́ мо́жет де́лать всё что хо́чет...

Вы ездили в круиз? Если да, откуда и куда?
Что может быть на круизном корабле? Что ещё можно организовать на круизном корабле?
Например, велодорожки или зоопарк...
В каком регионе хорошо плавать на круизном корабле?
Как вы думаете, какие люди отдыхают на корабле?
Как вы думаете, в круизе есть риск?

11 Смотрим на карты и слушаем диалоги. Куда они едут?
Рисуем маршрут.

TB06

1.

Средиземное море:
Сб. — Венеция
02.05 — ....
03.05 — ....
04.05 — в море
05.05 — Черногория
06.05 — Хорватия
07.05 — Венеция

2.

Балтийское море:
10.07 — Стокгольм
11.07 — Хельсинки
12.07 — Санкт-Петербург
13.07 — ....
14.07 — ....
15.07 — Копенгаген
16.07 — Стокгольм

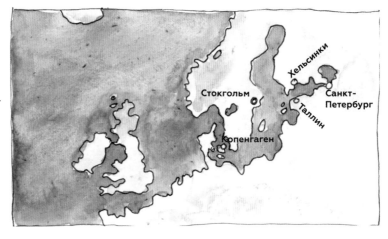

3.

Карибское море:
22.01 — Майами
23.01 — в море
24.01 — Гваделупа
25.01 — Мартиника
26.01 — ....
27.01 — Аруба
28.01 — ....
29.01 — Майами

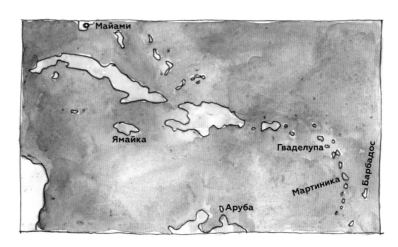

 **12** Изучать русский язык трудно. Вы активно работали и очень устали. Сейчас ваша группа тоже едет в круиз. Какой круиз вы выбираете? Почему? Что там можно делать?

GENITIVE PLURAL № 2

кого?	чего?
— **Кого́** мно́го в университе́те?	— **Чего́** мно́го в библиоте́ке?
— В университе́те мно́го студе́нт**ов**.	— В библиоте́ке мно́го книг⊘.
	В кни́гах мно́го коммента́ри**ев**.

m.	n.	f.
-ОВ / -ЕВ	⊘	

-ь, -ч, -ш, -ж, -щ, -е
-ЕЙ

m.	n.	f.
час — час**о́в**	сло́во — слов⊘	маши́на — маши́н⊘
дворе́ц — дворц**о́в** не́мец — не́мц**ев** музе́й — музе́**ев**	окно́ — о́кон⊘ письмо́ — пи́сем⊘	су́мка — су́мок⊘ де́вушка — де́вушек⊘
рубль — рубл**е́й**	мо́ре — мор**е́й**	ночь — ноч**е́й**
эта́ж — этаж**е́й**	зада́ние — зада́ний	фотогра́фия — фотогра́фий

> де́ти — дет**е́й**
> лю́ди — люд**е́й**
> друзья́ — друз**е́й** **!**

1. Коли́чество

Ско́лько? Мно́го, ма́ло, нет... Бо́льше, ме́ньше...	+ Gen. Pl.

Ско́лько язык**о́в** вы зна́ете?
У студе́нт**ов** мно́го вопро́с**ов** и нет отве́т**ов**.
Я хочу́ знать бо́льше сл**ов**.

2. Чей? Чья? Чьё? Чьи?
Лю́ди лю́бят счита́ть де́ньги миллиарде́р**ов**.

3. У кого́?
У мужчи́н⊘ и же́нщин⊘ ра́зные хара́ктеры, вку́сы и языки́.
У аге́нт**ов** мно́го пробле́м⊘, потому́ что **у** клие́нт**ов** сли́шком мно́го вопро́с**ов**.

4. Для, из, с, по́сле, от, до, без, кро́ме, вме́сто, о́коло
Мы **без** пробле́м⊘ организу́ем ви́зы **для** тури́ст**ов**.

1 В ми́ре **мно́го**:

страна́

го́род

лю́ди

язы́к

гора́

В го́роде **мно́го/ма́ло**:

дом

у́лица

маши́на

лю́ди

музе́й

шко́ла

соба́ка

парк

рестора́н

велосипе́д

В университе́те **мно́го/ма́ло**:

студе́нт

учи́тель

кни́га

тест

компью́тер

В аэропорту́ **мно́го/ма́ло**:

самолёт

стюарде́сса

магази́н

пассажи́р

чемода́н

В музе́е **мно́го/ма́ло**:

| тури́ст | гид | карти́на | скульпту́ра | видеока́мера |

В Интерне́те **мно́го/ма́ло**:

    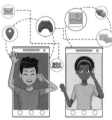

| фотогра́фия | кни́га | фильм | игра́ | друзья́ |

2 **РАБОТАЕМ В ПАРЕ.**

— У вас есть … ?
— У меня́ **мно́го/ма́ло/нет**… ⇨

— У вас есть **друзья́**?
— Да, у меня́ мно́го **друзе́й**.

1. У вас есть враги́?
2. У вас есть пробле́мы?
3. У вас есть докуме́нты?
4. У вас есть тала́нты?
5. У вас есть конкуре́нты?

6. У вас есть вопро́сы?
7. У вас есть кни́ги?
8. У вас есть де́ти?
9. У вас есть де́ньги?
10. У вас есть секре́ты?

3 **СПРАШИВАЕМ И ОТВЕЧАЕМ.**

Моде́ль:
— У вас **мно́го** книг?
— Нет, сейча́с у меня́ **ма́ло** книг. Я чита́ю электро́нные кни́ги.

кни́га	докуме́нт	фотогра́фия	фру́кты	карти́на
компью́тер	друзья́	де́ньги	су́мка	игра́
чемода́н	цветы́	ча́шка	сувени́ры	проду́кты
футбо́лка	окно́	магни́тик	витами́ны	ключи́…

У ... МНОГО / МАЛО / НЕТ...

  4 СПРАШИВАЕМ И ОТВЕЧАЕМ.

Модель: футболисты — фанаты ⇨ У футболистов много фанатов.

дети — время	студенты — деньги	миллионеры — друзья
политики — враги	дети — проблемы	бюрократ — таланты
политики — критики	преподаватели — тесты	матрёшки — «дети»
чемпионы — медали	актёры — роли	мигранты — документы

   5 СЛУШАЕМ И ГОВОРИМ, ГДЕ ЭТО.

ТВ07

  6 ОТВЕЧАЕМ НА ВОПРОСЫ.

- Какие социальные сети вы знаете?
- Какие плюсы и минусы у них есть?
- Вы больше смотрите или постите фотографии?
- Больше пишете или читаете комментарии?
- Вы считаете лайки?

соцсеть	репост	пользователь
лайк	сообщение	возможность
пост	цензура	пиратские копии

ЧИТАЕМ ТЕКСТ И ИЩЕМ ИНТЕРНАЦИОНАЛЬНЫЕ СЛОВА. ЗАДАЁМ ВОПРОСЫ ПО МОДЕЛИ.

Модель: в **виртуа́льном** ми́ре ⇨ в **како́м** ми́ре?

Социа́льные се́ти

Сего́дня мы почти́ все живём в **виртуа́льном** ми́ре, хоти́м мы и́ли нет. **Мно́го** лет наза́д Билл Гейтс говори́л: «Е́сли **компа́нии** нет в Интерне́те, её нет в би́знесе». Э́то бы́ло вре́мя са́йтов, а сейча́с вре́мя соцсете́й. Социа́льные се́ти — э́то паралле́льный мир, и он игра́ет в реа́льном ми́ре **большу́ю** роль.

Са́мая популя́рная соцсе́ть — «Фейсбу́к», у «Фейсбу́ка» **2 миллиа́рда** по́льзователей! А ско́лько там фотогра́фий, стате́й, новосте́й! Но **ма́ло** му́зыки и нет **фи́льмов**, потому́ что «Фейсбу́к» не публику́ет **пира́тские** материа́лы. В Росси́и у «Фейсбу́ка» есть **серьёзный** конкуре́нт — «Вконта́кте». Там то́же мно́го миллио́нов челове́к, мно́го му́зыки и фи́льмов. Ка́ждый день посты́ в Интерне́те получа́ют миллиа́рд ла́йков, а лю́ди посыла́ют 5 миллиа́рдов сообще́ний! Неуже́ли лю́ди всё э́то смо́трят и чита́ют?!

Говоря́т, Интерне́т и компью́теры меня́ют всё. Мы не хоти́м чита́ть дли́нные те́ксты, но ка́ждый день чита́ем мно́го посто́в, смо́трим ма́ссу **фотогра́фий** и ви́део. Для фотогра́фий то́же есть специа́льная сеть — «Инстагра́м». Сего́дня э́то не про́сто миллио́ны се́лфи тури́стов и моде́лей. Компа́нии ча́сто реклами́руют и продаю́т проду́кцию в **«Инстагра́ме»**. Кста́ти, **68** проце́нтов по́льзователей в «Инстагра́ме» — же́нщины. И ка́ждую секу́нду фотогра́фии получа́ют ты́сячи ла́йков и коммента́риев!

А для **люби́телей** ви́део са́мый ва́жный сайт в Интерне́те — «Юту́б». 1 миллиа́рд по́льзователей, 88 стран и 76 языко́в — э́ти ци́фры говоря́т о большо́й популя́рности «Юту́ба». Ка́ждый день лю́ди смо́трят **миллиа́рд** часо́в ви́део на «Юту́бе»! Культу́рные геро́и шко́льников и студе́нтов не музыка́нты, как ра́ньше, а **видеобло́геры**.

Как всё но́вое, социа́льные се́ти — э́то мно́го возмо́жностей и мно́го пробле́м: пира́тские ко́пии **книг** и фи́льмов, персона́льная информа́ция и её безопа́сность, пропага́нда экстреми́зма и **террори́зма**, порногра́фия и тро́ллинг... Ча́сто говоря́т, что в Интерне́те нельзя́ без **цензу́ры**, и есть стра́ны, где ужé контроли́руют **Интернéт**. Лю́ди тра́тят сли́шком мно́го врéмени в социа́льных сетя́х, «Фейсбу́к» и «Юту́б» — враги́ **эффекти́вности** и тайм-мéнеджмента.

Взрóслые и дéти живу́т в Интернéте. **Все** хотя́т мнóго друзéй, **ла́йков**, репóстов — и забыва́ют **реа́льную** жизнь! **Психóлоги** счита́ют, что, éсли человéк всё врéмя хóчет бóльше ла́йков и репóстов, у **негó** психологи́ческие проблéмы.

Но плю́сов у социа́льных сетéй тóже мнóго. Напримéр, éсли человéк болéет, **сли́шком мнóго** учи́тся и́ли рабóтает, не мóжет **никуда́** ходи́ть и́ли éздить, у негó есть возмóжность **обща́ться** и ви́деть мир. Ка́ждый день мы получа́ем мнóго новостéй, ви́дим мнóго фотогра́фий, у **нас** есть мнóго друзéй **из стран**, где мы никогда́ нé были, в Интернéте мнóго **ку́рсов**, где мы мóжем изуча́ть **ра́зные** языки́ и нау́ки.

В виртуа́льном ми́ре всё меня́ется óчень бы́стро. Говоря́т, что врéмя соцсетéй конча́ется, начина́ется врéмя мéссенджеров...

 ОТВЕЧА́ЕМ НА ВОПРÓСЫ:

- Как называ́ется гла́вный конкурéнт «Фейсбу́ка» в Росси́и?
- Какóй сайт са́мый популя́рный у люби́телей ви́део?
- Почему́ в «Фейсбу́ке» ма́ло му́зыки и фи́льмов?
- Почему́ стра́ны хотя́т контроли́ровать Интернéт?
- Для когó Интернéт — окнó в мир?
- Что мóжно дéлать в Интернéте?

7   **ВЫ СОГЛА́СНЫ? ПОЧЕМУ́?**

☐ 1. Мы мóжем жить без телеви́зора и кинотеа́тров, потому́ что у нас есть «Юту́б»!
☐ 2. Éсли у мужчи́ны есть жена́, он не мóжет «ла́йкать» фотогра́фии жéнщин в Интернéте.
☐ 3. В Интернéте нельзя́ без цензу́ры: лю́ди не мóгут писа́ть всё что хотя́т!
☐ 4. В Интернéте лю́ди беспла́тно слу́шают му́зыку и чита́ют кни́ги, а без дéнег музыка́нты и писа́тели не мóгут рабóтать.
☐ 5. Лю́ди не чита́ют, а смóтрят ви́део и фотогра́фии. Это катастрóфа для культу́ры!
☐ 6. Ра́ньше писа́ли тóлько писа́тели и журнали́сты, а сейча́с в Интернéте пи́шут все. Это плóхо для языка́!
☐ 7. Мóда на сéлфи – это нарцисси́зм и эгои́зм.
☐ 8. Глу́по ка́ждый день ходи́ть в университéт, éсли все мóгут учи́ться онла́йн и слу́шать лéкции из Óксфорда.
☐ 9. Éсли человéк хóчет бóльше ла́йков и репóстов — у негó психологи́ческие проблéмы.
☐ 10. Éсли у вас мнóго ла́йков, зна́чит, вы хорóший человéк.

ОДНА ТЫСЯЧА, ДВЕ ТЫСЯЧИ, ПЯТЬ ТЫСЯЧ...

100	сто				
200	двести				
300	триста	**400**	четы́реста		
500	пятьсо́т	**600**	шестьсо́т		
700	семьсо́т	**800**	восемьсо́т	**900**	девятьсо́т
1000	ты́сяча	**1 000 000**	миллио́н		

	1 + Nom.	2, 3, 4 + Gen. sing.	5... 20, 25... + Gen. pl.
m.	оди́н миллио́н	два/три/четы́ре миллио́на	пять миллио́нов
f.	одна́ ты́сяча	две/три/четы́ре ты́сячи	пять ты́сяч⊘

- 0 — ноль
- 10 — де́сять
- 210 — две́сти де́сять
- 3210 — три ты́сячи две́сти де́сять
- 43 210 — со́рок три **ты́сячи** две́сти де́сять
- 543 210 — пятьсо́т со́рок три **ты́сячи** две́сти де́сять
- 6 543 210 — шесть **миллио́нов** пятьсо́т со́рок три **ты́сячи** две́сти де́сять
- 76 543 210 — се́мьдесят шесть **миллио́нов** пятьсо́т со́рок три **ты́сячи** две́сти де́сять
- 876 543 210 — восемьсо́т се́мьдесят шесть **миллио́нов** пятьсо́т со́рок три **ты́сячи** две́сти де́сять
- 9 876 543 210 — де́вять **миллиа́рдов** восемьсо́т се́мьдесят шесть **миллио́нов** пятьсо́т со́рок три **ты́сячи** две́сти де́сять

1 🗣 ВЫ ХОРОШО ЗНАЕТЕ МАТЕМАТИКУ? СКОЛЬКО ЭТО БУДЕТ?

9 876 543 210 + 123 456 789 = ?

2 🗣 ОТВЕЧАЕМ НА ВОПРОСЫ:

- Ско́лько языко́в вы зна́ете?
- Ско́лько жи́телей в ва́шем го́роде?
- Ско́лько жи́телей в ва́шей стране́?
- Ско́лько у вас друзе́й в «Фейсбу́ке»?
- Ско́лько у вас фотогра́фий в «Инстагра́ме»?
- Ско́лько студе́нтов у вас в гру́ппе?
- Ско́лько у вас преподава́телей?
- Ско́лько ме́тров в ва́шей кварти́ре?
- Ско́лько слов вы по́мните?

СКОЛЬКО СТОИТ?

US $ 1 045 000

вилла в Коста-Рике

«Роллс-ройс»

US $ 317 700

€ 166 259

домик в лесу

US $ 1,299

ноутбук

US $ 90 770

студия в Москве

€ 775,797

бриллиант

€ 5 900 000

яхта

US $ 330 000

самолёт

3  Смотрим на картинки и считаем, сколько это рублей. Какая самая дорогая вещь у вас есть? Сколько она стоит?

Играем в магазин.

Модель:
— Я хочу эту виллу. Сколько она стоит?
— Один миллион долларов.
— Так дорого! У меня нет миллиона. У меня есть только 250 000. У вас есть скидки для студентов?
— Если у вас мало денег, у меня для вас есть прекрасный домик в лесу.

ВРЕМЯ

1 + Nom.		2, 3, 4 + Gen. Sing.		5, 6, 7, 8 … + Gen. Pl.	
однá	секýнда	две	секýнды	пять	секýнд
	минýта		минýты		минýт
	недéля		недéли		недéль
одúн	час	два	часá	пять	часóв
	день		дня		дней
	мéсяц		мéсяца		мéсяцев
	год		гóда		лет
	век		вéка		векóв

СКОЛЬКО ВРЕМЕНИ?

2 часá 25 минýт

10 часóв 30 минýт

21 час 21 минýта

4 Смотрим на часы и говорим время по модели:

5 Спрашиваем и отвечаем:

1. Скóлько мéсяцев в годý?
2. Скóлько секýнд в минýте?
3. Скóлько минýт в чáсе?
4. Скóлько часóв в сýтках?
5. Скóлько дней в недéле?
6. Скóлько в годý недéль?
7. Скóлько дней в годý?
8. Скóлько в вéке лет?
9. Скóлько в вéке мéсяцев?
10. Скóлько в вéке минýт?

НОМЕР ТЕЛЕФОНА

7	— код Россúи	+7-495-123-45-67	— москóвский нóмер
495	— код Москвы́	+7-812-987-65-43	— петербýргский нóмер
812	— код Санкт-Петербýрга	+7-921-765-43-21	— мобúльный нóмер

6   Какой у вас номер телефона? Работаем в паре. Пишем телефонные номера. Один студент говорит, другой пишет.

ОТВЕЧАЕМ НА ВОПРОСЫ:

• У вас есть дома́шние живо́тные?
• У них хоро́шая жизнь?

• Каки́е живо́тные мо́гут жить в го́роде?
• Каку́ю роль игра́ют живо́тные в жи́зни люде́й?

    ЧИТАЕМ ТЕКСТ, ПИШЕМ СЛОВА. ПОТОМ СЛУШАЕМ И ПРОВЕРЯЕМ.

ТВ08

Соба́чья жизнь!

Есть бога́тые лю́ди и бе́дные лю́ди, мы все э́то зна́ем. Но не все зна́ют, что в ми́ре есть бога́тые живо́тные!

Ча́сто они́ про́сто получа́ют де́ньги от люде́й, но иногда́ да́же зараба́тывают!

■ Наприме́р, са́мое популя́рное живо́тное Интерне́та — Серди́тый Кот. Когда́ я пишу́ э́тот текст, у него́ уже́ _____ подпи́счиков в «Фейсбу́ке», о нём есть не́сколько мультфи́льмов, фана́ты покупа́ют мно́го _____, а его́ капита́л уже́ _____ до́лларов. Да́же стра́нно, что он серди́тый.

■ Шимпанзе́ Ма́йкла Дже́ксона не то́лько тра́тит _____ до́лларов короля́ поп-му́зыки, но и рису́ет карти́ны, и лю́ди покупа́ют их на аукцио́не!

■ Са́мая бога́тая соба́ка в ми́ре — Гю́нтер Четвёртый. По́сле сме́рти хозя́йки у Гю́нтера большо́й капита́л — _____ до́лларов. Он живёт в Майа́ми в прекра́сном до́ме, где _____ ко́мнат и _____ туале́тов, и е́здит отдыха́ть на Бага́мы. А в Росси́и «соба́чья жизнь» зна́чит «жизнь тру́дная и бе́дная»...

■ И́ли вот ещё краси́вая исто́рия: жил в Ита́лии чёрный кот Томма́зо. Он жил в Ри́ме _____, потому́ что у него́ не́ было до́ма. Оди́н раз там гуля́ла бога́тая ста́рая же́нщина, и по́сле их встре́чи кот жил у неё до́ма до её сме́рти. Сего́дня у него́ то́же нет пробле́м: у кота́ мно́го _____ и в Ита́лии, от Мила́на до Кала́брии, и _____ е́вро. Кста́ти, у него́ есть не́сколько друзе́й-кото́в, они́ то́же живу́т на его́ де́ньги.

■ Больши́е де́ньги есть не то́лько у ко́шек и соба́к. Наприме́р, у ку́рицы Ги́гу _____ до́лларов. Да, я понима́ю ва́ши эмо́ции...

Ро́дственники миллионе́ров, коне́чно, протесту́ют, когда́ де́ньги получа́ют живо́тные, но ка́ждый челове́к мо́жет сам реша́ть, как тра́тить де́ньги, пра́вда?

КАКОЕ ЭТО ЖИВОТНОЕ?

1. Друг Ма́йкла Дже́ксона.
2. Ра́ньше он жил на у́лице, а сейча́с у него́ мно́го домо́в.
3. Са́мое популя́рное живо́тное Интерне́та.
4. Са́мая бога́тая пти́ца.
5. Е́здит отдыха́ть на Кари́бские острова́.

ВЫ СОГЛАСНЫ? ПОЧЕМУ?

☐ 1. Ка́ждый челове́к мо́жет тра́тить де́ньги как хо́чет.
☐ 2. Бога́тые живо́тные — э́то ненорма́льно, потому́ что в ми́ре есть бе́дные лю́ди.
☐ 3. Здесь нет пробле́мы! Мы все — де́ти приро́ды, поэ́тому равны́.
☐ 4. Бога́тый шимпанзе́ — э́то норма́льно, но ку́рица — э́то сли́шком!
☐ 5. Е́сли живо́тные рабо́тают, э́то их де́ньги.

УРОК 38

m.	n.	f.	pl.
Како́го? -ОГО/-его		Како́й? -ОЙ/-ей	Каки́х? -ЫХ/-ИХ

| кусо́к
шокола́дного то́рта | кусо́к
италья́нской пи́ццы | десе́рт
из све́жих фру́ктов |

1

ча́шка	(зелёный чай)
килогра́мм	(кра́сная икра́)
буты́лка	(францу́зское шампа́нское)
стака́н	(апельси́новый сок)
500 г	(бе́лые грибы́)
3 кг	(тропи́ческие фру́кты)
кусо́к	(кра́сная ры́ба)
буты́лка	(минера́льная вода́)
буты́лка	(оли́вковое ма́сло)
ча́шка	(чёрный ко́фе)

2

 Много/мало/нет. Читаем фразы и говорим, что думаем.

Модель: бога́тые лю́ди — краси́вые ве́щи ⇨
У бога́тых люде́й **мно́го** краси́вых веще́й.

бога́тый челове́к — бе́дные друзья́
у́мные студе́нты — интере́сные вопро́сы
бездо́мные лю́ди — больши́е пробле́мы

хоро́ший журнали́ст — плохи́е но́вости
тала́нтливый писа́тель — интере́сные кни́ги
акти́вный челове́к — свобо́дное вре́мя

хоро́шие спортсме́ны — золоты́е меда́ли
ма́ленькие де́ти — краси́вая оде́жда
иностра́нные тури́сты — дороги́е сувени́ры

50

ДАТЫ

Какóе сегóдня числó?

[**-ОЕ**]

1 января́ — Сего́дня пе́рв**ое** января́.
9 ма́я — Ско́ро девя́т**ое** мая.
25 декабря́ — Ско́ро два́дцать пя́т**ое** декабря́.

Когда́ вы роди́лись?
Я родила́сь 21 ма́рта 2002 го́да.

Когда́? Каково́ числа́?

[**-ОГО**]

Но́вый год пе́рв**ого** января́.
День Побе́ды девя́т**ого** ма́я.
Рождество́ два́дцать пя́т**ого** декабря́.

Когда́ у тебя́ день рожде́ния?
К сожале́нию, 29 февраля́!

3 СЛУШАЕМ И ПИШЕМ, КОГДА ОНИ РОДИЛИСЬ. ЧИТАЕМ.

ТВ09

Моде́ль:
Пу́шкин **роди́лся** 6 ию́ня 1799 го́да.
Пу́шкин **роди́лся** шесто́го ию́ня ты́сяча семьсо́т девяно́сто девя́т**ого** го́да.

 Пётр Пе́рвый

 Екатери́на Втора́я

 Наполео́н Бонапа́рт

 Елизаве́та Втора́я

 Нострада́мус

 Иога́нн Себастья́н Бах

 Во́льфганг Мо́царт

 Пётр Ильи́ч Чайко́вский

 Фёдор Миха́йлович Достое́вский

 КОГДА ВЫ РОДИЛИСЬ? КОГДА У ВАС ДЕНЬ РОЖДЕНИЯ?

Моде́ль: Я роди́лся/родила́сь…   У меня́ день рожде́ния…

ПРАЗДНИКИ

4

КАКИЕ ПРАЗДНИКИ В РОССИИ ВЫ ЗНАЕТЕ? ВЫ ЗНАЕТЕ, КОГДА ЭТИ ПРАЗДНИКИ?

Но́вый год	День зна́ний	Пра́здник весны́ и труда́
День Росси́и	День Побе́ды	День защи́тника Оте́чества
ста́рый Но́вый год	Рождество́	Междунаро́дный же́нский день

1 сентября́	1 ма́я	12 ию́ня
8 ма́рта	14 января́	9 ма́я
7 января́	23 февраля́	1 января́

КАКОЙ ВАШ ЛЮБИМЫЙ ПРАЗДНИК? ПОЧЕМУ? КАКИЕ ПРАЗДНИКИ ЕСТЬ В ВАШЕЙ СТРАНЕ? КОГДА И КАК ВЫ ИХ ПРАЗДНУЕТЕ?

5

ЧИТАЕМ ТЕКСТ.

Пра́здники в Росси́и

Говоря́т, ру́сские лю́бят пра́здники. Пра́вда, есть стра́ны, где бо́льше пра́здников, чем в Росси́и: наприме́р, в Аргенти́не, И́ндии и́ли в Япо́нии. И пото́м, кто их не лю́бит?!

Ру́сские лю́бят не все пра́здники. Са́мые популя́рные: Но́вый год, День защи́тника Оте́чества, Междунаро́дный же́нский день и День Побе́ды.

■ Са́мый пе́рвый и са́мый люби́мый пра́здник го́да — **Но́вый год**. Всё, что в други́х стра́нах де́лают на Рождество́: ёлка, пода́рки, Са́нта-Кла́ус, — всё э́то в Росси́и си́мволы Но́вого го́да. То́лько у нас не Са́нта-Кла́ус, а Дед Моро́з. Они́ похо́жи, но есть ра́зница. Шу́ба Де́да Моро́за всегда́ дли́нная (в Росси́и зимо́й хо́лодно!) и мо́жет быть ра́зных цвето́в, а у Са́нта-Кла́уса — всегда́ кра́сная и обы́чно коро́ткая. Дед Моро́з хо́дит не оди́н, у него́ есть вну́чка — Снегу́рочка. Наконе́ц, Дед Моро́з не реклами́рует ко́ка-ко́лу.

■ 31 декабря́ в по́лночь в Росси́и пьют шампа́нское, мно́го едя́т, пото́м пра́зднуют до утра́, а пе́рвого января́ почти́ никто́ не рабо́тает — все спят и отдыха́ют. Пода́рки на Но́вый год обы́чно хоро́шие, конфе́ты и́ли носки́ — плоха́я иде́я. Ру́сские так лю́бят Но́вый год, что пра́зднуют его́ 2 ра́за: пе́рвый раз 31 декабря́, а второ́й раз, **ста́рый Но́вый год**, — 13 января́.

■ **23 февраля́** в СССР был День Сове́тской А́рмии, а сего́дня обы́чно говоря́т, что э́то день мужчи́н. Почти́ все мужчи́ны в Росси́и бы́ли в а́рмии. А́рмия всегда́ игра́ла большу́ю роль в исто́рии Росси́и. Не все мужчи́ны хотя́т идти́ в а́рмию, но почти́ все по́сле а́рмии лю́бят говори́ть о ней. А ещё в Росси́и ду́мают, что, е́сли есть пра́здник же́нщин, логи́чно пра́здновать и день мужчи́н.

■ Же́нский день пра́зднуют **8 ма́рта**, через 2 неде́ли по́сле 23 февраля́. В э́тот день мужчи́ны де́лают всё для же́нщин, говоря́т комплиме́нты, покупа́ют цветы́ и пода́рки. Пра́вда, э́ти пра́здники, как сейча́с говоря́т, пропаганди́руют ге́ндерные стереоти́пы: 23 февраля́ все мужчи́ны — «геро́и», а 8 ма́рта все же́нщины — «принце́ссы». О́чень лю́бят э́тот день

магази́ны цвето́в: для них э́то са́мый ва́жный день го́да!

■ Есть ещё оди́н пра́здник — **День зна́ний!** 1 сентября́ не выходно́й, но все зна́ют, что э́тот день осо́бенный. Все студе́нты и шко́льники большо́й страны́ начина́ют учи́ться, а для дете́й-первокла́ссников и студе́нтов-первоку́рсников э́тот день — нача́ло но́вой жи́зни. И э́то второ́й день, когда́ лю́ди покупа́ют мно́го цвето́в — для учителе́й...

День Побе́ды — са́мый большо́й официа́льный пра́здник Росси́и. 9 ма́я в Москве́, Санкт-Петербу́рге и други́х города́х организу́ют пара́ды, а весь день иду́т фи́льмы о войне́ 1941—1945 годо́в.

■ Мно́го люде́й пра́зднуют **Па́сху** и **Рождество́**, но не все: в Росси́и мно́го ра́зных рели́гий и мно́го атеи́стов. Кста́ти, Рождество́ в Росси́и пра́зднуют 7 января́.

 Пра́вда (☑) и́ли нет (☐)?

☐ 8 ма́рта же́нщины покупа́ют мно́го цвето́в.
☐ 1 января́ в Росси́и — ста́рый Но́вый год.
☐ Но́вый год мо́жно пра́здновать 2 ра́за.
☐ 23 февраля́ — люби́мый пра́здник же́нщин.
☐ Са́мый большо́й официа́льный пра́здник — День Побе́ды.
☐ Конфе́ты и носки́ — традицио́нные пода́рки на Но́вый год.
☐ 1 сентября́ все учителя́ отдыха́ют.
☐ 23 февраля́ все мужчи́ны иду́т в а́рмию.

ACCUSATIVE № 4: ANIMATE NOUNS

Кто ♥ что?

Кто ♥ кого?

AccUs.

ЧТО?
футбо́л
пи́цц**У**
мо́ре
де́ньги

КОГО?
сы́н**А**
жен**У́**
друз**е́й**
дельфи́н**ов**

любить	знать		**кого́? что?**
слушать	читать	**+**	**AccUs.**
			m. **f.**
хотеть	понимать		

	f.	n.	m.	pl.
Что? 🎁	Я смотрю́ дра́м**у**.	Я люблю́ кино́.	Я смотрю́ фильм.	Я смотрю́ фи́льмы.
		= Nom.		
Кого́?	Я зна́ю актри́с**у**.	—	Я зна́ю актёр**а**.	Я зна́ю актёр**ов** и актри́с.
	-У/-Ю		**-А/-Я**	**-ОВ/-∅/-ЕЙ**
				= Gen.

1 Что они делают?

2   Правда (☑) или нет (☐)?

Модель: Соба́ки хотя́т дете́й. ⇨ **Я ду́маю, де́ти хотя́т соба́к.**

☐ 1. Президе́нт выбира́ет страну́.
☐ 2. Лю́ди слу́шают музыка́нтов.
☐ 3. Писа́тели критику́ют кри́тиков.
☐ 4. Живо́тные изуча́ют био́логов.
☐ 5. 8 ма́рта же́нщины поздравля́ют мужчи́н.
☐ 6. Покемо́ны ло́вят дете́й.
☐ 7. Все де́ти лю́бят Де́да Моро́за.
☐ 8. На экза́мене студе́нты спра́шивают профе́ссора.
☐ 9. Комары́ не лю́бят люде́й.

3 Работаем в паре.

Модель:
— **Кого** вы любите?
— Я очень люблю маму, потому что она мой друг.

— **Кого** вы любите?
— **Кого** вы слушаете?

— **Кого** вы уважаете и почему?
— **Кого** вы не понимаете и почему?

4 Модель:

— **Кого** вы любите? Почему?
— Я очень люблю дельфинов, потому что они добрые и весёлые, как я.
— **Кого** вы не любите? Почему?
— Я не люблю пауков. Они ужасные.

скорпион

собака

паук

акула

жираф

обезьяна

комар

таракан

лошадь

волк

ЖДАТЬ

я жду	мы ждём	
ты ждёшь	вы ждёте	**+ кого?**
он/она ждёт	они ждут	

5 Кого они ждут?

РУССКАЯ КУЛЬТУРА

6   **Читаем имена известных русских музыкантов, писателей, поэтов, художников и политиков.**

• Кого́ вы зна́ете? Кого́ вы чита́ли, слу́шали, чьи карти́ны вы ви́дели?
• Кого́ вы лю́бите? Кого́ ещё вы зна́ете? А кого́ вы не зна́ете?
• Каки́х изве́стных люде́й ва́шей страны́ зна́ют иностра́нцы?

Моде́ль:
— Вы зна́ете Пу́шкина?
— Да, коне́чно. **Пра́вда**, я не чита́л Пу́шкина, но зна́ю, что он поэ́т.

Литерату́ра

Пу́шкин	Го́голь	Достое́вский	Толсто́й	Че́хов
Ахма́това	Булга́ков	Аку́нин	Солжени́цын	Пеле́вин

Кого вы читали на родном языке?

Му́зыка

Чайко́вский	Му́соргский	Ри́мский-Ко́рсаков
Рахма́нинов	Шостако́вич	Проко́фьев

Слушаем их музыку в Интернете. Кого было интересно слушать?

Худо́жники

Рублёв	Айвазо́вский	Ре́пин	Канди́нский
Мале́вич	Кабако́в	Ре́рих	Петро́в-Во́дкин

Смотрим их картины в Интернете и выбираем самого талантливого художника. Чьи картины вы хотите иметь дома?

Нау́ка

Ломоно́сов	Лобаче́вский	Па́влов	Пирого́в	Гейм
Перельма́н	Зворы́кин	Королёв	Менделе́ев	Новосёлов

Читаем в Интернете, что открыли эти люди (на родном языке).

Поли́тика

Ле́нин	Ста́лин	Хрущёв	Горбачёв	Е́льцин	Пу́тин

Сколько процентов из них вы знали? У кого в группе самый хороший результат?
Сейчас вы знаете больше о русской культуре!
Вы знаете современных писателей, музыкантов, учёных из России? Смотрите в Интернете.

КОТОРЫЙ

Канди́нский — **худо́жник**.

Он жил в Росси́и, Герма́нии и Фра́нции.
Не все **его́** понима́ют.
У него́ мно́го стра́нных карти́н.
О нём мно́го писа́ли кри́тики.

Канди́нский — **худо́жник**,

кото́рый жил в Росси́и, Герма́нии и Фра́нции.
кото́рого не все понима́ют.
у кото́рого мно́го стра́нных карти́н.
о кото́ром мно́го писа́ли кри́тики.

	m.	n.	f.	pl.
Nom.	кото́рый	кото́рое	кото́рая	кото́рые
Gen.	кото́рого		кото́рой	кото́рых
Accus.	🧍 = Gen. ◼ = Nom.		кото́рую	🧍🧍 = Gen. ◼◼ = Nom.
Prep.	о / в / на кото́ром		кото́рой	кото́рых

7

Э́то де́вушка, _____ лю́бит И́горя.
_____ лю́бит И́горь.
у _____ есть соба́ка.

Э́то па́рень, _____ лю́бит А́нна.
_____ лю́бит А́нну.
у _____ есть ко́шка.

Э́то му́зыканты, _____ хорошо́ игра́ют.
у _____ мно́го альбо́мов.
о _____ мно́го пи́шут в Интерне́те.
_____ я люблю́ слу́шать.

8

Модель: Кла́ссик — э́то писа́тель, **кото́рого** все зна́ют, но никто́ не чита́ет.

1. Миллионе́р — э́то челове́к, _____ есть миллио́н.
2. Звезда́ — э́то актёр и́ли музыка́нт, _____ все зна́ют.
3. Учи́тель — э́то челове́к, _____ всё зна́ет.
4. Муж и жена́ — э́то мужчи́на и же́нщина, _____ живу́т вме́сте.
5. Бестсе́ллер — э́то кни́га, _____ все покупа́ют.
6. Блокба́стер — э́то фильм, _____ все смо́трят.
7. Спа́льня — э́то ко́мната, _____ мы спим.
8. За́втрак — э́то еда́, _____ мы еди́м у́тром.

А СЕЙЧАС ВАШИ ВАРИАНТЫ:

студе́нт	фото́граф	худо́жник	ко́фе	дом
попуга́й	компью́тер	журнали́ст	купа́льник	квас
гита́ра	матрёшка	хокке́й	де́ньги	вино́

9 Дома пишем свои варианты, а в классе слушаем и говорим, кто это или что это.

Модель: — Это челове́к, кото́рый рабо́тает в рестора́не и гото́вит ра́зные блю́да.
— Это по́вар!

ПОЧЕМУ ЛЮДИ ИЗУЧАЮТ РУССКИЙ ЯЗЫК?

  10 Отвечаем на вопросы:

• Почему́ вы изуча́ете ру́сский?
• Почему́ иностра́нцы изуча́ют ваш язы́к?
• Каки́е языки́ популя́рно изуча́ть и почему́?

  Почему люди изучают русский язык? Вот ответы наших студентов. Слушаем и пишем причины.

ТВ10

путеше́ствия де́вушки	му́зыка жена́	би́знес бале́т	литерату́ра Сиби́рь	друзья́ карье́ра

Свен	Пи́тер	Амеде́о	Кристиа́н	Мо́ника

  11 Работаем в группе. Берём интервью. Спрашиваем, почему другие студенты изучают русский язык. Какая у них мотивация? А какие языки изучал ваш преподаватель и почему?

КРАСИВЫЙ — КРАСИВЕЕ

красивый

бо́лее/ме́нее + краси́вый, -ая, -ое, -ые
краси́во

краси́в- + **ее**

Петербу́рг **бо́лее краси́вый** го́род, чем Москва́.

Петербу́рг **краси́вее**, чем Москва́.

Compar. + чем　　　　　=　　　　　**Compar. + Gen.**

Петербу́рг краси́вее, **чем** Москва́.
Учи́ться интере́снее, **чем** спать.
В университе́те интере́снее, **чем** в шко́ле.

Петербу́рг краси́вее **Москвы́**.

Моде́ль: бы́стро　⇨　Есть быстре́е, чем гото́вить.

краси́вый, опа́сный, интере́сный, у́мный, прия́тный, холо́дный,
тру́дный, вку́сный, бы́стрый, популя́рный, горя́чий

  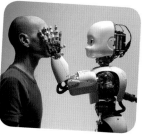

  2 Более или менее?

1. «Тесла» _____ дорога́я маши́на, чем «пе́жо».
2. На́ша плане́та _____ краси́вая, чем Луна́.
3. Фотографи́ровать _____ тру́дно, чем фотографи́роваться.
4. Га́мбургеры _____ вку́сная еда́, чем ово́щи.
5. Соба́ки _____ краси́вые и у́мные, чем ко́шки.
6. В Росси́и _____ тёплый кли́мат, чем в Брази́лии.
7. Же́нщины _____ эмоциона́льные, чем мужчи́ны.
8. Самолёт _____ опа́сный тра́нспорт, чем велосипе́д.
9. Голова́ _____ эффекти́вный инструме́нт, чем компью́тер.
10. Жить в оте́ле _____ комфо́ртно, чем до́ма.

большо́й/мно́го	⇨ **бо́льше**	далеко́	⇨	да́льше
ма́ленький/ма́ло	⇨ **ме́ньше**	бли́зкий	⇨	бли́же
хоро́ший	⇨ **лу́чше**	лёгкий	⇨	ле́гче
плохо́й	⇨ **ху́же**	бога́тый	⇨	бога́че
ста́рый	⇨ ста́рше	дорого́й	⇨	доро́же
молодо́й	⇨ моло́же	дешёвый	⇨	деше́вле
гро́мкий	⇨ гро́мче	ра́но	⇨	ра́ньше
ти́хий	⇨ ти́ше	ча́сто	⇨	ча́ще

!

ЛУЧШЕ ПОЗДНО, ЧЕМ НИКОГДА.

бо́льше — ме́ньше	моло́же — ста́рше	гро́мче — ти́ше
лу́чше — ху́же	доро́же — деше́вле	бли́же — да́льше

Ста́рые лю́ди ви́дят ху́же, но бо́льше.

У челове́ка два у́ха и оди́н рот, что́бы бо́льше слу́шать и ме́ньше говори́ть.

 3 СМОТРИМ НА ПАРЫ СЛОВ И СРАВНИВАЕМ. У КОГО БОЛЬШЕ ИДЕЙ?

лю́ди — живо́тные

кни́га — компью́тер

ко́шка — соба́ка

маши́на — ло́шадь

де́ньги — креди́тная ка́рта

океа́н — бассе́йн

работать — отдыхать   квартира — дом

намного **немного**	бóльше, интерéснее, труднéе...

Россия **на**мнóго бóльше, чем Монáко.

Фрáнция **не**мнóго бóльше, чем Гермáния.

4   **Что вы думаете об этом? Намного/немного:**

1. Лю́ди _____ умнéе, чем компью́теры.
2. Жизнь _____ интерéснее, чем кинó.
3. Кóка-кóла _____ вкуснéе, чем пéпси.
4. Сóлнце _____ бóльше, чем Лунá.
5. Спать _____ лéгче, чем танцевáть.
6. Маши́на _____ бóльше, чем маши́нка.
7. Фру́кты _____ полéзнее, чем торт.
8. Антáрктика _____ холоднéе, чем А́рктика.
9. Карти́ны _____ дорóже, чем фотогрáфии.
10. Интернéт _____ популя́рнее, чем библиотéка.

5   **Что вы об этом думаете и почему?**

1. Кáждый год я _____ .
2. Сейчáс я живу́ _____ , чем рáньше.
3. Мои́ друзья́ _____ меня́.
4. Путешéствовать _____ , чем сидéть дóма.
5. Рабóтать _____ , чем отдыхáть.
6. Чтóбы лу́чше жить, нáдо быть _____ .
7. Живóтные _____ , чем лю́ди.

умнéе	стáрше
лу́чше	ху́же
богáче	беднéе
опáснее	интерéснее
важнéе	труднéе
креати́внее	агресси́внее
краси́вее	счастли́вее

ХАРАКТЕР

до́брый	прия́тный	че́стный	си́льный
весёлый	споко́йный	лени́вый	трудолюби́вый
серьёзный	акти́вный	сла́бый	конта́ктный

6 Какой у них характер? А у вас?

Джек Воробей   Эдди Мёрфи   Джеймс Бонд   Зо́лушка   коа́ла

7 Отвечаем на вопросы:

• Что для вас важне́е: рабо́та, де́ньги, карье́ра, дом, де́ти?
• Что формиру́ет хара́ктер?
• Како́е у вас образова́ние?
• Как вы ду́маете, все лю́ди равны́?
• Каки́е хоро́шие ка́чества у вас есть?
• Каки́е стереоти́пы вы зна́ете?

📖 Читаем текст.

Мужчи́ны и же́нщины...

Мужчи́ны и же́нщины... Э́то са́мая ва́жная те́ма в мирово́й культу́ре! Как мно́го здесь стереоти́пов! Наприме́р, говоря́т, что же́нщины всё вре́мя ду́мают о мо́де и красоте́. Но для кого́ э́та красота́? Для мужчи́н! А для мужчи́н, говоря́т, са́мое ва́жное — э́то карье́ра, де́ньги и успе́х. Но для кого́ э́то всё? Для же́нщин!

Ра́ньше всё бы́ло про́сто. Все зна́ли: мужчи́ны умне́е, сильне́е, акти́внее, а же́нщины — бо́лее сла́бые и дома́шние. Сейча́с мно́гие говоря́т, что э́то то́лько результа́т образова́ния, а не приро́ды. Вы согла́сны?

Сего́дня мужчи́ны и же́нщины обы́чно равны́: вме́сте у́чатся и рабо́тают, но хара́ктеры у них ра́зные.

8 Как вы думаете: какие качества сильнее у женщин, а какие — у мужчин?

Мужчи́на	Же́нщина
....	....
....	....
....	....
....	....

• Кто:
– эмоциона́льнее? – романти́чнее? – смеле́е?
– агресси́внее? – практи́чнее? – сильне́е?
– умне́е? – краси́вее? – добре́е?

• У кого́ лу́чше интуи́ция? Кто бо́льше риску́ет?

9 **Вы понимаете эти слова?**

интуи́ция   ло́гика   интелле́кт   по стати́стике

  А сейчас слушаем ответы психологов. Слушаем ещё раз и пишем слова в текст.

ТВ11

Психо́логи говоря́т, что у же́нщин _____ рабо́тает интуи́ция, а у мужчи́н ло́гика. Иногда́ _____ же́нщин даёт результа́ты лу́чше, чем _____ мужчи́н! Интере́сно, что же́нщины обы́чно _____ мужчи́н, а мужчи́ны _____ же́нщин. Мужчи́ны обы́чно физи́чески сильне́е, чем же́нщины, и мы хорошо́ мо́жем ви́деть э́то в _____ .

Они́ бо́лее _____ и агресси́вные, но же́нщины бо́лее эмоциона́льные и конфли́ктные. Все зна́ют, что же́нщины _____ говоря́т, но не о́чень лю́бят говори́ть о спо́рте и поли́тике.

Все хотя́т знать, кто _____ : мужчи́ны и́ли же́нщины. У психо́логов нет отве́та на э́тот вопро́с. По стати́стике, же́нщины бо́лее _____ . Мужчи́ны о́чень ра́зные: есть о́чень _____ , а есть о́чень _____ . Про́сто у мужчи́н _____ ра́зница в интелле́кте.

 Как вы думаете, психологи правы?

  Читаем текст и ищем пары.

Модель: спо́рт — спорти́вный

ра́зница — _____   агре́ссия — _____   но́рма — _____
эмо́ция — _____   рома́нтика — _____
конфли́кт — _____   пра́ктика — _____

10 **Дискуссия:**

• Что важне́е для мужчи́ны: быть умне́е и́ли быть бога́че?
• Что важне́е для же́нщины: быть краси́вее и́ли быть умне́е?
• Что вы выбира́ете: бо́льше зараба́тывать и́ли ме́ньше рабо́тать?
• Каку́ю еду́ вы выбира́ете: кото́рая вкусне́е и́ли кото́рая поле́знее?
• Что важне́е в шко́ле: бо́льше знать и́ли бо́льше ду́мать?
• Что лу́чше: быть бога́че в бе́дной стране́ и́ли быть бедне́е в бога́той стране́?
• Где вы хоти́те жить: в кварти́ре доро́же, но в це́нтре го́рода, и́ли деше́вле, но да́льше от це́нтра?
• Что трудне́е: ме́ньше есть и́ли бо́льше тренирова́ться?
• Что лу́чше: когда́ госуда́рство бо́льше даёт и́ли когда́ оно́ ме́ньше берёт?
• Каку́ю маши́ну вы хоти́те: бо́льше, но ме́дленнее и́ли ме́ньше, но быстре́е?

ВИДЫ ГЛАГОЛА   VERB ASPECTS

INFINITIVE

НСВ	СВ
де́лать	сде́лать
писа́ть	написа́ть
чита́ть	прочита́ть
гото́вить	пригото́вить
покупа́ть	купи́ть

Хоро́шие но́вости! Всегда́ НСВ

■ **Сейча́с (Present)**
Я **сейча́с изуча́ю** грамма́тику и мно́го **ду́маю**.

■ **Регуля́рно**
Всегда́, ка́ждый день, ча́сто, иногда́, никогда́...
Тру́дно **всегда́ говори́ть** пра́вду.
Ра́ньше я **ча́сто покупа́л** кни́ги, а **сейча́с чита́ю** всё в Интерне́те.

■ **Люби́ть + Inf.**
Что вы **лю́бите де́лать** в свобо́дное вре́мя?
Ра́ньше я **люби́л игра́ть** в футбо́л, а сейча́с **люблю́ смотре́ть** футбо́л.

Почему́ два инфинити́ва? Кака́я ра́зница?

Inf. НСВ	Inf. СВ
Нас интересу́ет **проце́сс**: челове́к, его́ стиль жи́зни и как он прово́дит вре́мя.	Нас интересу́ет **результа́т**.

Смотрим на картинки и выбираем правильный инфинитив.

де́лать ремо́нт — сде́лать ремо́нт

есть — съесть

пить — вы́пить

открыва́ть дверь — откры́ть дверь

писа́ть — написа́ть

учи́ть язы́к — вы́учить язы́к

 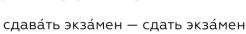

сдава́ть экза́мен — сдать экза́мен

стро́ить — постро́ить

ПОПУЛЯРНЫЕ ПАРЫ ГЛАГОЛОВ

НСВ —СВ

С-, НА-, ЗА- ...	(!)	-ЫВА-/-ИВА-
де́лать — сде́лать	брать — взять*	открыва́ть — откры́ть*
чита́ть — прочита́ть	покупа́ть — купи́ть*	закрыва́ть — закры́ть*
писа́ть — написа́ть*	говори́ть — сказа́ть*	расска́зывать — рассказа́ть*
плати́ть — заплати́ть*	помога́ть — помо́чь*	пока́зывать — показа́ть*
гото́вить — пригото́вить*	начина́ть — нача́ть*	зака́зывать — заказа́ть*
есть — съесть*	принима́ть — приня́ть*	подпи́сывать — подписа́ть*
пить — вы́пить*	выбира́ть — вы́брать*	зараба́тывать — зарабо́тать
игра́ть — сыгра́ть	станови́ться — стать*	выи́грывать — вы́играть
лома́ть — слома́ть	находи́ть — найти́*	прои́грывать — проигра́ть
учи́ть — вы́учить	посыла́ть — посла́ть*	зака́нчивать — зако́нчить
ви́деть — уви́деть*		забыва́ть — забы́ть*

ПО-		-ВА-
жить — пожи́ть*	звони́ть — позвони́ть	дава́ть — дать*
спать — поспа́ть*	дари́ть — подари́ть	сдава́ть — сдать*
пла́вать — попла́вать	тра́тить — потра́тить*	продава́ть — прода́ть*
смотре́ть — посмотре́ть	стро́ить — постро́ить	встава́ть — встать*
слу́шать — послу́шать	меня́ть — поменя́ть	устава́ть — уста́ть*
рабо́тать — порабо́тать	теря́ть — потеря́ть	

		-А- -И-
игра́ть — поигра́ть		реша́ть — реши́ть
ду́мать — поду́мать		получа́ть — получи́ть
лежа́ть — полежа́ть		встреча́ть — встре́тить*
сиде́ть — посиде́ть*		приглаша́ть — пригласи́ть*
		включа́ть — включи́ть

2   **ЧИТАЕМ ИСТОРИИ И ВЫБИРАЕМ ПРАВИЛЬНУЮ ФОРМУ.**

Виктор хочет (покупа́ть — купи́ть) краси́вый дом. У него́ есть мечта́, но нет де́нег. Виктор ду́мает, где (брать — взять) де́ньги. Все зна́ют, что ба́нки лю́бят (дава́ть — дать) креди́ты, поэ́тому он идёт в банк и про́сит (дава́ть — дать) креди́т. К сожале́нию, проце́нт о́чень большо́й. Виктор уже́ не зна́ет, что де́лать. Он хо́чет (жить — пожи́ть) краси́во, но не хо́чет всю жизнь (плати́ть — заплати́ть) за дом.

- Вы хоти́те взять креди́т? На что?
- Где мо́жно взять де́ньги?
- Како́й проце́нт обы́чно берёт банк?
- Что лу́чше: снима́ть кварти́ру и́ли плати́ть креди́т?

Áлекс хочет (покупа́ть — купи́ть) маши́ну. У него́ есть де́ньги, но он не уме́ет води́ть маши́ну. Áлекс о́чень хочет (получа́ть — получи́ть) права́, но бои́тся (сдава́ть — сдать) экза́мены. Мо́жет быть, лу́чше (покупа́ть — купи́ть) велосипе́д?

- А вы уме́ете води́ть маши́ну?
- У вас есть права́?
- Вы бои́тесь сдава́ть экза́мены?
- Что лу́чше: маши́на и́ли велосипе́д?

Я хочу́

НСВ	СВ

Студе́нты хотя́т знать ру́сский язы́к.
Студе́нты **хотя́т говори́ть** по-ру́сски.
(говори́ть — сказа́ть)

Артём хо́чет маши́ну.
Артём **хо́чет купи́ть** маши́ну.
(покупа́ть — купи́ть)

брать — взять
Я ищу́ де́ньги.
Я **хочу́** _____ креди́т.

покупа́ть — купи́ть
Я **хочу́** _____ кварти́ру.

жить — пожи́ть
Все лю́ди **хотя́т** _____ хорошо́.

открыва́ть — откры́ть
Ле́на **хо́чет** _____ свой би́знес.
Она́ **хо́чет** _____ кафе́.

Урок 41

3 Что они хотят?

Éсли мы не хоти́м результа́т, мы не начина́ем проце́сс:
Я не хочу́ + НСВ

Ли́за не хо́чет де́лать дома́шнюю рабо́ту.

Том не хо́чет покупа́ть ста́рую маши́ну.

Михаи́л не хо́чет де́лать опера́цию.

70

4 Что они хотят / не хотят?

Модель:

Иван хочет приготовить рыбу.

Кошка не хочет готовить рыбу.

Кошка хочет съесть рыбу.

есть — съесть
Моя собака всегда хочет _____ .
Она хочет _____ сосиску.
Она не хочет _____ лимон.

брать — взять
Инга не хочет _____ кредит.
Она хочет _____ кредит в этом банке.

делать — сделать
Крис хочет _____ татуировку.
Мария Ивановна не хочет _____ татуировку.

сдавать — сдать
Студенты не хотят _____ экзамены.
Все студенты мечтают _____ экзамен.

открывать — открыть
Бандит хочет _____ дверь.
Джейн не хочет _____ дверь.

учить — выучить
Лиза хочет _____ испанский язык.
Лиза хочет _____ испанский в Интернете.
Лиза не хочет учить слова.

ПО- (ПРОЦЕСС)

Слова́, у кото́рых есть **идéя процéсса, но нет результáта:**

 НСВ

 СВ

процéсс

оди́н раз, немно́го, чуть-чу́ть

жить		**по**жи́ть
спать		**по**спáть
гуля́ть	**ПО-**	**по**гуля́ть
плáвать		**по**плáвать
дýмать		**по**дýмать
рабóтать		**по**рабóтать

!

рабóтать — порабóтать

Я хочý пóсле университéта _____ в бáнке.
Лéтом я хочý _____ в «Макдóналдсе».
Я не хочý всю жизнь _____ в «Макдóналдсе».

5

Модель: Я хочý жить в Еврóпе. / Я хочý **по**жи́ть мéсяц в И́ндии.

1. — Ужé ночь! Я так хочý _____ ! ——— спать — поспáть

2. — Я устáл как собáка. Мóжно _____ полчасá?

3. — Есть проблéма, нáдо _____ ! ——— дýмать — подýмать

4. — Нáдо всегдá _____ , что говори́шь.

5. — Лáрри лю́бит _____ . ——— гуля́ть — погуля́ть

6. — Ты мóжешь сейчáс _____ с Лáрри?

7. — Я устáла и óчень хочý _____ . ——— сидéть — посидéть

8. — Дéти мóгут _____ в Интернéте весь день.

6  **ЧИТАЕМ ТЕКСТЫ И ВЫБИРАЕМ ИНФИНИТИВ НСВ/СВ.**

Как я устал!

Кристиа́н рабо́тает в ба́нке. У него́ хоро́шая пози́ция и отли́чная зарпла́та, его́ жизнь стаби́льная и комфо́ртная, но он ча́сто ду́мает, заче́м он живёт. Кристиа́н уста́л (жить — пожи́ть) как ро́бот: ка́ждый день (встава́ть — встать) в 6 утра́, весь день (рабо́тать — порабо́тать) в о́фисе, а в свобо́дное вре́мя (сиде́ть — посиде́ть) в Интерне́те. Он мечта́ет (брать — взять) о́тпуск и немно́го (жить — пожи́ть) в Йндии.

• Где вы хоти́те жить, а где — пожи́ть?
• Где вы мечта́ете рабо́тать, а где вы гото́вы немно́го порабо́тать?
• Ско́лько часо́в вы мо́жете сиде́ть на одно́м ме́сте?

Би́знес и́ли дом на о́строве?

Яросла́в — успе́шный бизнесме́н. Он мно́го лет стро́ил би́знес, и сейча́с у него́ доста́точно де́нег, что́бы (жить — пожи́ть) и бо́льше никогда́ не (ду́мать — поду́мать) о деньга́х. Сейча́с у него́ есть вы́бор: рабо́тать да́льше и́ли (продава́ть — прода́ть) би́знес, (покупа́ть — купи́ть) дом на о́строве и (жить — пожи́ть) без пробле́м. Как вы ду́маете, что лу́чше?

• У вас есть би́знес?
• Вы ча́сто ду́маете о деньга́х?
• Ско́лько лет вы плани́руете рабо́тать?
• Вы хоти́те прода́ть всё и жить на о́строве?

Семья́? Нет, карье́ра!

Ле́на — совреме́нная де́вушка. Она́ не хо́чет (ждать — подожда́ть) при́нца, а мечта́ет сама́ (де́лать — сде́лать) хоро́шую карье́ру. Она́ лю́бит (жить — пожи́ть) одна́, лю́бит не (гото́вить — пригото́вить) до́ма, а (есть — съесть) в кафе́. Она́ лю́бит (помога́ть — помо́чь) и о́чень хо́чет (стро́ить — постро́ить) дом для бездо́мных соба́к.

• Вы совреме́нный челове́к?
• Что лу́чше для де́вушки: ждать при́нца и́ли де́лать карье́ру? Почему́?
• Где мо́жно встре́тить при́нца? Совреме́нный принц – э́то кто?

КАК СТРОИТЬ ПАРЫ НСВ И СВ

НСВ		СВ	
де́лать чита́ть писа́ть		сде́лать прочита́ть написа́ть	
подпи́сывать перепи́сывать	-ЫВА-	подписа́ть переписа́ть	
дава́ть встава́ть	-ВА-	дать встать	
получа́ть реша́ть	-А-	-И-	получи́ть реши́ть	(!)

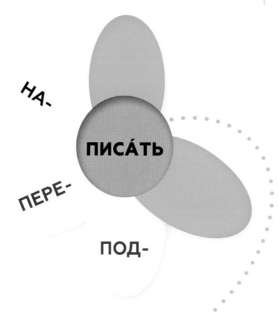

НА-

ПИСА́ТЬ

ПЕРЕ-

ПОД-

ПОДПИСА́ТЬ
СВ

подпи́сывать
НСВ

ПИСА́ТЬ
НСВ

Студе́нты писа́ли дома́шнюю рабо́ту, написа́ли её пло́хо и сейча́с перепи́сывают.
Дире́ктор подписа́л контра́кт.
Я не хочу́ подпи́сывать э́ти докуме́нты.

  ИЩЕМ ПАРЫ:

открыва́ть	взять
покупа́ть	сказа́ть
дава́ть	сдать
брать	откры́ть
говори́ть	купи́ть
помога́ть	рассказа́ть
сдава́ть	дать
зараба́тывать	закры́ть
расска́зывать	зарабо́тать
закрыва́ть	помо́чь

7

**Читаем диалоги и выбираем инфинитив НСВ/СВ.
Потом слушаем диалоги и проверяем. Отвечаем на вопросы.**

TB12

1.

— Что ты хо́чешь _____ (де́лать

— сде́лать) по́сле университе́та?

— Хочу́ _____ (находи́ть

— найти́) хоро́шую рабо́ту и нача́ть

_____ (зараба́тывать —

зарабо́тать), но э́то непро́сто. А ты?

— А я не хочу́ _____

(рабо́тать — порабо́тать) в корпора́ции,

я хочу́ _____ (открыва́ть — откры́ть) би́знес.

— Э́то большо́й риск! На́до _____ (рабо́тать — порабо́тать)

день и ночь!

— Нет, би́знес в Интерне́те — э́то о́чень про́сто!

- Как вы ду́маете, что лу́чше: откры́ть свой би́знес и́ли рабо́тать в корпора́ции?
- Вы то́же ду́маете, что би́знес в Интерне́те — э́то о́чень про́сто?

2.

— Ско́ро на пе́нсию! Ты уже́ зна́ешь, как

_____ (жить — пожи́ть)

да́льше?

— О, у меня́ больши́е пла́ны! Я хочу́

мно́го _____ (чита́ть —

прочита́ть). Мо́жет быть, ещё

_____ (учи́ть — вы́учить)

иностра́нные языки́. А ты?

— А я хочу́ _____ (продава́ть —

прода́ть) всё, _____ (получа́ть — получи́ть) мно́го де́нег

и _____ (покупа́ть — купи́ть) дом в Ко́ста-Ри́ке. А пото́м

_____ (жить — пожи́ть) на мо́ре, _____ (есть — съесть)

фру́кты и _____ (пла́вать — попла́вать) ка́ждый день!

TB13

- Что вы собира́етесь де́лать на пе́нсии?
- Вы хоти́те прода́ть всё и купи́ть дом на мо́ре?

ВИД: ПРОШЕДШЕЕ ВРЕМЯ

Проце́сс ~~~~~~~~~~

Результа́т

Рабы́ мно́го лет **стро́или** пирами́ду.

Рабы́ **постро́или** большу́ю пирами́ду.

1

🗣 **Смотрим на картинки и говорим, что делали/сделали эти люди.**

Хорошие новости! Регулярно — всегда НСВ!

> В школе Ник много **читал** и **писал**. Обычно он **делал** домашнее задание, но иногда **забывал**. В свободное время он **смотрел** телевизор и играл в футбол.

Как вы жили раньше? Что вы обычно делали в школе, в университете, в прошлом году?

  Модель:

В университете я много _____ . (читать — прочитать) ⇨
В университете я много **читал**.

1. Раньше люди _____ натуральные продукты. (есть — съесть)
2. Раньше я _____ 5 раз в день. (есть — съесть)
3. В отпуске я 2 недели не _____ компьютер. (включать — включить)
4. Раньше в семье всегда _____ жена. Сейчас мы готовим вместе. (готовить — приготовить)
5. В университете я _____ 5–6 часов, а сейчас не могу. (спать — поспать)
6. Раньше мы _____ всё в магазине, а сейчас в Интернете. (покупать — купить)

РЕГУЛЯРНО (НСВ) ≠ ОДИН РАЗ (СВ)

Раньше Свен **писал** письма только по-шведски и по-английски, а вчера он **написал** первое письмо по-русски.

Банк каждый день **закрывался** в 18:00, а в пятницу **закрылся** в 16:00.

Раньше Нина каждый день **покупала** колу, а сегодня **купила** воду, потому что она на диете.

  Жизнь начинается в субботу!

Я работаю в офисе. Иногда у меня мало работы, но эта неделя была ужасная. Я каждое утро (вставать — встать) в 6:00, даже не (завтракать — позавтракать), а в 7:00 я уже (открывать — открыть) офис, (включать — включить) компьютер и (начинать — начать) работать. Всю неделю я (звонить — позвонить), (писать — написать) письма и (думать — подумать) только о работе.

А вчера была суббота. Я (вставать — встать) в 11:30. Я (принимать — принять) душ, хорошо (завтракать — позавтракать), (включать — включить) компьютер, (открывать — открыть) «Фейсбук» и (читать — прочитать), что сегодня день рождения у моего друга. Я так устал, что совсем (забывать — забыть)! Я (звонить — позвонить), и он (приглашать — пригласить) меня на вечеринку. Как я люблю субботу и «Фейсбук»!

1 2 3 4 5 6 7

СВАДЬБА

Э́то мы: Ро́ма и Ка́тя.
Ско́ро у нас сва́дьба.
А сейча́с у нас стресс.
Мы не по́мним, что мы уже́
сде́лали, а что ещё нет.

4

TB14

СМОТРИМ НА КАРТИНКИ И СЛУШАЕМ РАЗГОВОР РОМЫ И КАТИ. ЧТО ОНИ УЖЕ
СДЕЛАЛИ, А ЧТО ЕЩЁ НЕТ? ПИШЕМ «+» ИЛИ «–».

покупа́ть — купи́ть

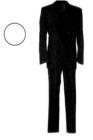

зака́зывать — заказа́ть

приглаша́ть — пригласи́ть

брать — взять

Сейчас работаем в паре. Спрашиваем и отвечаем:

Модель:
— Они **купи́ли** пла́тье?
— Да, **купи́ли**.
— А они́ **купи́ли** ко́льца?
— Нет, ещё **не купи́ли**, забы́ли!
— …

 Сейчас Рома и Катя — муж и жена. После свадьбы они 2 недели отдыхали в Испании. Смотрим на картинки и говорим, что они делали в Испании. Потом слушаем и проверяем.

 ТВ15

Модель: Они жи́ли 2 неде́ли в краси́вом отéле.

СВ — НСВ — СВ

Арту́р **на́чал** за́втракать в 7:00. Он **за́втракал** 15 мину́т. Он **зако́нчил** за́втракать в 7:15.

начина́ть начáть + процéсс   зака́нчивать зако́нчить + процéсс

0:15   7:00   7:15

5 Смотрим на картинки и говорим, что они делали и сколько времени.

4–31 октября 1866 — Достоéвский
19:20–20:30 — Олéг и Óльга
áвгуст – октя́брь — Мáша и Ди́ма
1818–1858 —  Монферрáн

6

Я аге́нт. Я продаю́ кварти́ры в Ло́ндоне. Обы́чно у меня́ ма́ло рабо́ты, но вчера́ у меня́ был сумасше́дший день. Я весь день бе́гал и _____ (пока́зывать — показа́ть) кварти́ры. Я не (за́втракать — поза́втракать) и не _____ (обе́дать — пообе́дать), то́лько _____ (рабо́тать — порабо́тать). В результа́те я _____ (продава́ть — прода́ть) 2 кварти́ры. Я уже́ _____ (подпи́сывать — подписа́ть) контра́кты, но ещё не _____ (получа́ть — получи́ть) де́ньги. Жаль, что не ка́ждый день как вчера́!

7

TB16

СМОТРИМ НА КАРТИНКИ, СЛУШАЕМ ДИАЛОГИ ОДИН РАЗ И ПИШЕМ НОМЕРА ДИАЛОГОВ.

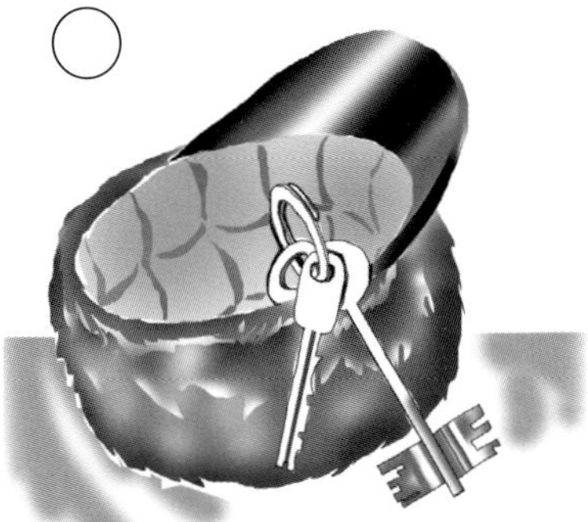

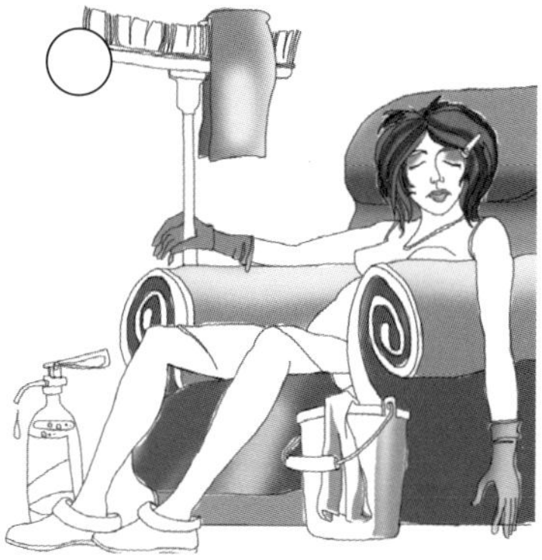

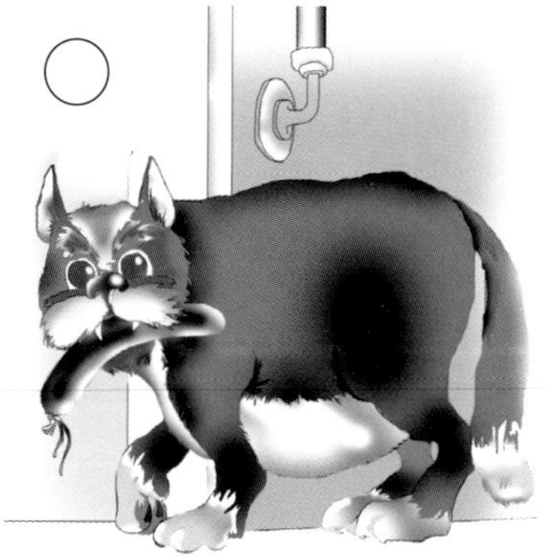

8

TB17

ЧИТАЕМ ДИАЛОГИ, ВЫБИРАЕМ СЛОВА И ПИШЕМ ИХ. ПОТОМ СЛУШАЕМ И ПРОВЕРЯЕМ.

1.

— Ты уста́ла, люби́мая?

— Да, я весь день _____ : _____ проду́кты, пото́м _____ и _____ .

— Бе́дная!

рабо́тать — порабо́тать; покупа́ть — купи́ть; гото́вить — пригото́вить; убира́ть — убра́ть

2.

— Алло́! Что купи́ть?

— Ничего́! Я уже́ всё _____ и да́же _____ у́жин.
Ты рад?

— Спаси́бо, дорога́я!

> покупа́ть — купи́ть; гото́вить — пригото́вить

3.

— Ты уста́л, дорого́й?

— Да, я _____ весь день, _____ ты́сячу пи́сем,
да́же ничего́ не _____ !

— А ты _____ фру́кты и молоко́?

— Прости́! Я так уста́л, что всё _____ !

> рабо́тать — порабо́тать; писа́ть — написа́ть; есть — съесть;
> покупа́ть — купи́ть; забыва́ть — забы́ть

4.

— Па́влик, ты _____ ключи́?

— Да, ка́жется, _____ !

— Что зна́чит «ка́жется»? _____ и́ли нет? А ша́пку
_____ ?

— Мам, ну что ты? Я не ма́ленький!

> брать — взять

5.

— Где моя́ соси́ска? Ты _____ ?

— Почему́ я? Наве́рное, ко́шка _____ ...

— Но у нас нет ко́шки!

— А у сосе́да есть.

> есть — съесть

6.

— Почему́ соба́ка так на меня́ смо́трит? Она́ сего́дня _____ ?

— Коне́чно! Два ра́за _____ . Про́сто у неё амнези́я...

> есть — съесть

9 🗣️ Смотрим на картинки и говорим, что не так. Что они делали, а что нет?

Модель: Я ду́маю, что Ива́н **стро́ил** дом, а кот **не стро́ил**.

ОДИН РАЗ (НСВ / СВ)

Эрик вчера **делал** домашнюю работу.

Эрик **сделал** домашнюю работу!
Он очень рад!

Томас вчера **не делал** домашнюю работу.
Он писал картину.

Томас **не сделал** домашнюю работу, но он написал новую картину. Томас тоже рад!

  готовить — приготовить

Вчера Марина _____ шашлыки.
Гости не _____ шашлыки.

Вчера Марина _____ шашлыки.

есть — съесть

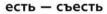

Сергей, Света и Аня _____ пиццу и чипсы.
Кот не _____ пиццу и чипсы.

Они _____ пиццу.
Они не _____ чипсы.

11 Читаем текст и выбираем СДАВАТЬ или СДАТЬ:

Если вы ездите на машине, я надеюсь, у вас есть права. А вы помните, как вы их получали? Я хорошо помню! Я учился полгода, потом мы все _____ экзамен, но не все _____ . Я легко _____ теорию, но не _____ практику, поэтому я _____ практику 2 раза. Когда я _____ всё, я получил права. А как вы сдавали экзамен?

12 Читаем фразы и пишем о себе.

Модель:

Я ещё не _____ русскую грамматику. (учить — выучить) ⇨
Я ещё не выучил русскую грамматику.

1. Я ещё не _____ Достоевского по-русски. (читать — прочитать)
2. Я ещё не _____ это задание. (делать — сделать)
3. Мы ещё не _____ экзамен, у нас экзамен не скоро! (сдавать — сдать)
4. Учитель никогда не _____ меня в гости. А жаль! (приглашать — пригласить)
5. Учитель никогда не _____ на уроке. (спать — поспать)

БЫЛО / НЕ БЫЛО: НСВ

Когда нас интересует опыт человека, какие факты были в его жизни, а какие — нет, в вопросе и ответе обычно НСВ.

— Вы **пили** квас?
— Да, **пил**. / — Нет, **не пил**.

— Вы **делали** татуировки?
— Да, **делала**. / — Нет, **не делала**.

13 Выбираем глаголы из списка, спрашиваем и отвечаем:

делать — сделать	играть — сыграть	слушать — послушать
плавать — поплавать	читать — прочитать	покупать — купить
менять — поменять	продавать — продать	есть — съесть
терять — потерять	видеть — увидеть	смотреть — посмотреть

1. Вы _____ в гольф?
2. Вы _____ ру́сские кни́ги?
3. Вы _____ хе́ви-ме́тал?
4. Вы _____ ру́сские фи́льмы?
5. Вы _____ оде́жду в Интерне́те?
6. Вы _____ чёрную икру́?
7. Вы _____ в океа́не?
8. Вы _____ се́лфи?
9. Вы _____ дом и́ли кварти́ру?
10. Вы _____ фами́лию и́ли и́мя?
11. Вы _____ ключи́ и де́ньги?
12. Вы _____ о́зеро Байка́л?

 А сейчас ваши вопросы для других студентов!

НИКОГДА НЕ + НСВ

Я **никогда́ не пил** мохи́то.
Я **никогда́ не спал** на у́лице.

А что вы никогда́ не де́лали? (3 отве́та)

14  **Работаем в паре или мини-группе. Спрашиваем и отвечаем.**

Когда́ вы **после́дний раз**:
• смотре́ли фильм?
• гото́вили вку́сный у́жин?
• отдыха́ли на мо́ре?
• покупа́ли биле́ты на самолёт?
• писа́ли письмо́ на бума́ге?
• гуля́ли но́чью?
• чита́ли рома́н?
• спа́ли днём?
• плати́ли за друго́го челове́ка в рестора́не?
• сдава́ли экза́мен?
• говори́ли «спаси́бо»?
• дари́ли цветы́?
• слу́шали живу́ю му́зыку?
• фотографи́ровались?
• по́стили фотогра́фии в Интерне́те?

УРОК 43

ВИД: БУДУЩЕЕ ВРЕМЯ

	НСВ де́лать		СВ сде́лать	
вчера́	де́лал, -а, -о, -и		сде́лал, -а, -о, -и	
сейча́с	я де́лаю ты де́лаешь он де́лает	мы де́лаем вы де́лаете они́ де́лают	———	
за́втра	я бу́ду ты бу́дешь он бу́дет мы бу́дем вы бу́дете они́ бу́дут	+ де́лать	я сде́лаю ты сде́лаешь он сде́лает	мы сде́лаем вы сде́лаете они́ сде́лают

БУДУЩЕЕ ВРЕМЯ: НСВ

1. Регуля́рно, стиль жи́зни
— Я **бу́ду люби́ть** тебя́ всю жизнь!
— Пра́вда?! Мы всегда́ бу́дем вме́сте?!

2. Проце́сс в конкре́тное вре́мя
— Я **бу́ду ждать** тебя́ за́втра в 18:30 у теа́тра.
— Мы **бу́дем смотре́ть** пье́су Че́хова.

3. Приглаше́ние, предложе́ние
— **Бу́дете** ко́фе?   — **Бу́дешь есть**?   — Что **бу́дете пить**?
— Да, спаси́бо, **бу́ду**.   — Нет, спаси́бо, **не бу́ду**. — Я **бу́ду** зелёный чай,
                              Я уже́ ел.   е́сли мо́жно.

1 🎧 🎬 Слу́шаем диало́ги и пи́шем номера́ под карти́нками.

ТВ18

86

Читаем диалоги и пишем формы будущего времени. Слушаем и проверяем.

TB19

1.

— До́брый день! Что _____ зака́зывать?

— Я _____ сала́т, борщ, кури́ный шашлы́к и десе́рт… Нет, десе́рт не _____, я на дие́те.

2.

— Приве́т! _____ пи́во?

— Нет, не _____. Я на маши́не.

3.

— Ты _____ суп?

— Нет, я не люблю́ суп!

— Ты зна́ешь, что на́до есть суп?!

— Ла́дно, _____ твой суп…

4.

— До́брый ве́чер! Вы гото́вы сде́лать зака́з?

— Коне́чно, нет! Мо́жно снача́ла меню́?

— Извини́те, мину́тку… Вот, пожа́луйста, меню́. Что _____ есть?

— Я _____ би́знес-ла́нч.

— А пить _____?

— Пить? _____. Мо́жно ко́фе?

5.

— _____ смотре́ть футбо́л?

— Коне́чно, _____! На́ши игра́ют.

2 🗣️ **Вы делаете вечеринку для вашей группы. В группе думаем и решаем: кто что будет есть и пить?**

Модель:
— Я не бу́ду есть, я бу́ду то́лько пить и танцева́ть!
— А я бу́ду есть чи́псы!
— А я не бу́ду чи́псы, я бу́ду фрукто́вый сала́т!

• Что вы бу́дете пить?
• Что вы бу́дете де́лать на вечери́нке: танцева́ть, петь карао́ке …?
• Кто бу́дет гото́вить вечери́нку?
• Кто бу́дет покупа́ть проду́кты?
• Кто бу́дет плати́ть?
• Кто бу́дет убира́ть по́сле вечери́нки?

3 РОССИЯ — САМАЯ БОЛЬШАЯ СТРАНА В МИРЕ, ПОЭТОМУ В НЕЙ МНОГО ЧАСОВЫХ ЗОН. КАК ВЫ ДУМАЕТЕ, СКОЛЬКО? ПОСМОТРИТЕ НА КАРТИНКИ И СКАЖИТЕ, ЧТО ОНИ БУДУТ ДЕЛАТЬ ЗАВТРА В ОДНО ВРЕМЯ.

9:00

Ю́ля

10:00

Артём

12:00

Али́на

14:00

И́горь

15:00

Та́ня

Владивосток

Никита

Камчатка

Люба и Павел

4  СЛУШАЕМ 1 РАЗ И ГОВОРИМ: **правда   неправда**

TB20

1. Сегодня воскресенье. ☐ ☐
2. Я буду спать 6 часов. ☐ ☐
3. Я буду ходить в спортзал. ☐ ☐
4. Моё любимое слово «сейчас». ☐ ☐

 ЧИТАЕМ ТЕКСТ И ПИШЕМ ФОРМЫ БУДУЩЕГО ВРЕМЕНИ. СЛУШАЕМ И ПРОВЕРЯЕМ.

Новая жизнь

Завтра понедельник. Я начинаю новую жизнь! Я регулярно _____ (ходить) на фитнес и больше не _____ (курить). Я _____ (спать) минимум 8 часов, а не 6, как сейчас. А ещё я _____ (делать) всё вовремя, а не потом. Эх, любимое слово «потом»!

• Вы хотите начать новую жизнь?
• Если завтра Новый год, что вы можете обещать?
  Я буду регулярно...
  Я больше не буду...

5   СЛУШАЕМ 1 РАЗ И ГОВОРИМ: **правда   неправда**

TB21

1. Я еду в Россию отдыхать. ☐ ☐
2. Я думаю, не надо учить грамматику. ☐ ☐
3. Вечером я буду делать домашнее задание. ☐ ☐
4. Я думаю, главное — это практика! ☐ ☐

Читаем текст и пишем формы будущего времени. Слушаем и проверяем.

Мой метод

Урá! Я éду учи́ться в Росси́ю на це́лый год. Я _____ (изуча́ть) ру́сский язы́к. Снача́ла я ничего́ не _____ (понима́ть), но пото́м, наде́юсь, я _____ (говори́ть) как настоя́щий ру́сский. Говоря́т, язы́к о́чень сло́жный и на́до учи́ть грамма́тику. Я не ве́рю! У меня́ есть своя́ систе́ма. Я _____ (жить) в це́нтре го́рода и мно́го гуля́ть. Ве́чером я _____ (сиде́ть) в кафе́ и говори́ть по-ру́сски. Вы согла́сны, что са́мое гла́вное — это пра́ктика?

- Что вы ду́маете об э́том ме́тоде? Вы согла́сны, что са́мое гла́вное — это пра́ктика?
- Вы хоти́те пожи́ть в Росси́и 1 год? Что вы бу́дете там де́лать?

 Слушаем микротексты и говорим, кто что будет делать.

Любо́вь

Ли́за, Серге́й

Сосе́ди

То́мас, Ли Юнь, А́рни

БУДУЩЕЕ ВРЕМЯ: СВ

Когда́ мы говори́м о бу́дущем, мы обы́чно ду́маем о **результа́те**. Осо́бенно когда́ мы реаги́руем на но́вую информа́цию, ситуа́цию и́ли про́сьбу.

Нерегуля́рные фо́рмы:

быть — я бу́ду	⇨	за**бы́ть** — я забу́ду
мочь — я могу́	⇨	по**мо́чь** — я помогу́
идти́ — я иду́	⇨	на**йти́** — я на**йду́**
брать — я беру́	⇨	со**бра́ть** – я собе**ру́**
		вы́**брать** — я вы́**беру**

7 📖 🎬 🎧 **Читаем диалоги и пишем формы будущего времени. Слушаем и проверяем.**

🎧
TB25

Модель:

1) — У нас нет проду́ктов.
   — Хорошо́, по́сле рабо́ты _____ . (покупа́ть — купи́ть) ⇨
   — Хорошо́, по́сле рабо́ты **куплю́**.

2) — Где взять де́ньги на наш прое́кт?
   — Де́ньги не пробле́ма, я _____ креди́т! (брать — взять) ⇨
   — Де́ньги не пробле́ма, я **возьму́** креди́т!

---

1. де́лать — сде́лать

— Я о́чень хочу́ ко́фе.
— Мину́тку, сейча́с _____ .

---

4. писа́ть — написа́ть

— Мо́жно ваш име́йл?
— Дава́йте я _____ .

---

2. звони́ть — позвони́ть

— Ты не зна́ешь, когда́ мы е́дем на пикни́к?
— Ещё не зна́ю. За́втра _____ .

---

5. гуля́ть — погуля́ть

— Соба́ка сего́дня ещё не гуля́ла.
— Хоро́шо, сейча́с _____ .

---

6. собира́ть — собра́ть

— Ты уже́ собрала́ пазл?
— Он тако́й большо́й! Наде́юсь, через ме́сяц _____ .

---

3. помога́ть — помо́чь

— У меня́ скайп не рабо́тает!
— Сейча́с _____ .

---

7. выи́грывать — вы́играть

— Я е́ду на Олимпиа́ду.
— Пра́вда? Я наде́юсь, что ты
_____ !

9. выбира́ть — вы́брать

— Вы уже́ вы́брали, что бу́дете пить?
— Мину́точку, сейча́с _____ .

8. находи́ть — найти́

— Где мои́ джи́нсы?
— Го́споди, сейча́с _____ .

10. зака́нчивать — зако́нчить

— Мы о́чень уста́ли! (студе́нты)
— Ещё 5 мину́т, мы ско́ро _____ .

ГЛАГОЛ: НЕРЕГУЛЯРНЫЕ ФОРМЫ

СКАЗА́ТЬ

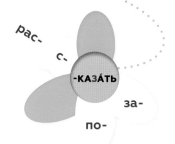

я скажу́	мы ска́жем
ты ска́жешь	вы ска́жете
он/она́ ска́жет	они́ ска́жут

З / Ж

СТАТЬ

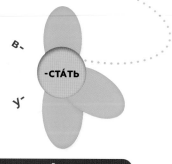

я ста́ну	мы ста́нем
ты ста́нешь	вы ста́нете
он/она́ ста́нет	они́ ста́нут

СТА / СТАН

ВСТРЕ́ТИТЬ

я встре́Чу	мы встре́тим
ты встре́тишь	вы встре́тите
он/она́ встре́тит	они́ встре́тят

Т / Ч

встре́тить   отве́тить   (за)плати́ть   (по)тра́тить

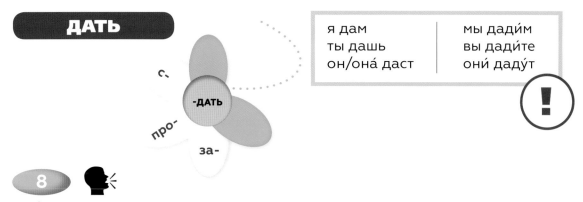

ДАТЬ

я дам	мы дади́м
ты дашь	вы дади́те
он/она́ даст	они́ даду́т

 8 🗣

- Éсли вы найдёте клад, что вы ку́пите?
- Éсли вы встре́тите марсиа́нина, что вы ска́жете?
- Éсли вы смо́жете написа́ть но́вый зако́н, что вы напи́шете?
- Éсли в ба́ре кто́-то спро́сит ваш но́мер телефо́на, что вы ска́жете?
- Éсли миллионе́р захо́чет купи́ть ваш дом, вы продади́те?
- Éсли вы смо́жете взять в магази́не беспла́тно одну́ вещь, что вы возьмёте?
- Éсли у вас до́ма о́чень дороги́е го́сти, что вы пригото́вите?

9 📖 **ЧИТАЕМ ТЕКСТ, ВЫБИРАЕМ ГЛАГОЛ И ДЕЛАЕМ ПРАВИЛЬНУЮ ФОРМУ.**

Мечта́

Я бу́дущий программи́ст. Сейча́с я учу́сь в университе́те, и у меня́ больши́е пла́ны на жизнь. Наде́юсь, я хорошо́ (сдава́ть — сдать) экза́мены и (получа́ть — получи́ть) дипло́м.

По́сле университе́та я (иска́ть — поиска́ть) хоро́шую рабо́ту. Наде́юсь, я бы́стро её (находи́ть — найти́). Снача́ла я (получа́ть — получи́ть) небольшу́ю зарпла́ту, как все, но я не все.

Я молодо́й и дово́льно амбицио́зный. Я не то́лько (рабо́тать — порабо́тать) днём в компа́нии, но и но́чью (писа́ть — написа́ть) свои́ програ́ммы. Я давно́ мечта́ю (писа́ть — написа́ть) програ́мму не ху́же, чем Серге́й Брин, и (зараба́тывать — зарабо́тать), как он. Éсли я (писа́ть — написа́ть) популя́рную програ́мму, я (мочь — смочь) жить, как захочу́.

Вы ду́маете, я бо́льше не бу́ду рабо́тать? Вы не пра́вы! Рабо́та — э́то мой до́пинг! Коне́чно, я (рабо́тать — порабо́тать) не то́лько за де́ньги, я (де́лать — сде́лать) ра́зные интере́сные прое́кты. Э́то моя́ мечта́!

Но я не то́лько рома́нтик, я ещё и норма́льный челове́к и не могу́ жить то́лько в виртуа́льном ми́ре. Я (покупа́ть — купи́ть) краси́вый дом на мо́ре и ка́ждый день (пла́вать — попла́вать). Я не бу́ду покупа́ть маши́ну на бензи́не, а (покупа́ть — купи́ть) электромоби́ль.

Я хочу́ име́ть мно́го дете́й, но снача́ла на́до (встреча́ть — встре́тить) настоя́щую любо́вь. Где её (иска́ть — поиска́ть)? Я ду́маю, ле́гче (писа́ть — написа́ть) хоро́шую програ́мму, чем (находи́ть — найти́) хоро́шую де́вушку.

Наде́юсь, я (жить — пожи́ть) интере́сно и (мочь — смочь) сде́лать наш мир лу́чше!

 10 ✍ **ДОМА ВЫ ПИШЕТЕ СВОЙ ПЛАН-МЕЧТУ.**

DATIVE   № 3

	кому?		чему?	
	m.	**n.**	**f.**	**pl.**
Adj.	Како́му? **-ОМУ**/-ему		Како́й? **-ОЙ**/-ей	Каки́м? **-ЫМ**/-им
Noun	-У/-ю		-Е/-и	-АМ/-ям

| **кому?** | люби́**мому** челове́**ку** | дорого́**й** жен**е́** | у́м**ным** студе́нт**ам** |

дава́ть — дать
дари́ть — подари́ть
писа́ть — написа́ть
говори́ть — сказа́ть
расска́зывать — рассказа́ть
сове́товать — посове́товать
продава́ть — прода́ть
пока́зывать — показа́ть
посыла́ть — посла́ть
покупа́ть — купи́ть
объясня́ть — объясни́ть
обеща́ть — пообеща́ть

+ что?   **+ кому́?**

Свен пи́шет письмо́ Хе́льге.

помога́ть — помо́чь
звони́ть — позвони́ть
ве́рить — пове́рить

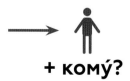

+ кому́?

Хéльга звони́т Свéну.

Волонтёры помога́ют бéдным лю́дям.

Гринпи́с помога́ет живо́тным.

   1 ЧИТАЕМ ВОПРОСЫ И ГОВОРИМ:

- Кому́ вы помога́ете?
- Кому́ вы лю́бите дари́ть пода́рки?
- Кому́ вы мо́жете сказа́ть спаси́бо?
- Кому́ вы вéрите?
- Кому́ вы расска́зываете секрéты?
- Кому́ вы не лю́бите звони́ть?
- Кому́ вы говори́те непра́вду?

друзья́	ма́ма	па́па	сосéди	дéти	учи́тель	дéвушка
жена́	муж	клиéнты	дирéктор	коллéги	инспéктор	Бог

что кому́? = кому́ что?

Я даю́ (ры́ба, ко́шка) = Я даю́ (ко́шка, ры́ба)
Я даю́ ры́бу ко́шке. = Я даю́ ко́шке ры́бу.

   2

1. Ма́ма приготóвила (дóчка, ку́рица).
2. Жена́ подари́ла (муж, сын).
3. Ма́ма и́щет (дóчка, муж).
4. Антóн купи́л (А́нна, морóженое).
5. Лу́кас покупа́ет (дéвушка, коктéйль).
6. Магази́н продаёт (жéнщины, космéтика).
7. Мы готóвим (соба́ка, еда́).
8. Муж готóвит (жена́, кóфе).

  3 ВЫ СОГЛАСНЫ? ПОЧЕМУ?

- ☐ 1. Банк даёт креди́ты тóлько (бога́тые клиéнты).
- ☐ 2. Госуда́рство не помога́ет (бéдные лю́ди).
- ☐ 3. Жизнь даёт всё тóлько (хорóшие лю́ди).
- ☐ 4. Мóжно вéрить тóлько (ста́рые друзья́).
- ☐ 5. На́до разреша́ть всё (ма́ленький ребёнок).

СКОЛЬКО ВАМ ЛЕТ?

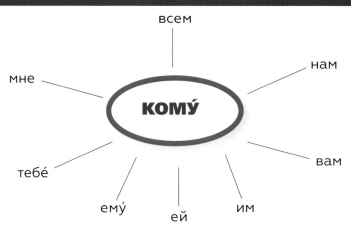

всем

нам

мне

КОМУ

вам

тебе

ему   ей   им

Это я. Мне 5 лет.

Máме 42 го́да. Па́пе 46 лет. Мое́й сестре́ 18 лет. Моему́ бра́ту 21 год. Это мои́ ба́бушка и де́душка. Ей 67 лет, а ему́ бу́дет 70 лет. У меня́ есть праде́душка. Ему́ уже́ 100 лет.

4

Моде́ль: — Ско́лько вам лет?
— **Мне 35** лет. **А вам**?
— О! Мне уже́ за 50.

1.

— Ма́льчик, ско́лько _____ (ты) лет?
— Я большо́й! _____ (Я) 3 го́да.

2.

— Я купи́л маши́ну!

— Но́вую?

— Нет, что́ ты!

— А ско́лько _____ (она) лет?

— Лу́чше не знать. _____ (она) уже́ 17 лет.

3.

— У нас но́вость. Мы собира́емся жени́ться!

— Вы норма́льные? Ско́лько _____ (вы) лет?

— _____ (Я) 16, а _____ (он) 17.

— О бо́же!

4.

— Мой па́па ско́ро идёт на пе́нсию.

— А ско́лько _____ (он) лет?

— Как ско́лько? _____ (Он) бу́дет 40.

— А почему́ так ра́но?

— Он офице́р.

МНЕ — **БЫ́ЛО** — **25 ЛЕТ.**
— **БУ́ДЕТ** —

Мне **бы́ло** 5 лет.   Сейча́с мне 26 лет.   Мне **бу́дет** 100 лет.

Сейча́с мне 15 лет. Я учу́сь в шко́ле.
Когда́ мне бы́ло 3 го́да, я ходи́л в де́тский сад.
Когда́ мне бу́дет 19 лет, я бу́ду учи́ться в университе́те.

Али́на — балери́на. Сейча́с ей 23 го́да.
Когда́ ей бы́ло 5 лет, она́ начала́ танцева́ть.
Когда́ ей бу́дет 38 лет, она́ бу́дет на пе́нсии.

5 А СЕЙЧАС ВЫ БЕРЁТЕ ИНТЕРВЬЮ! СПРАШИВАЕМ И ОТВЕЧАЕМ.

- Сколько **вам сейчас** лет? Где и как вы живёте?

- Где и как вы жи́ли, когда́ **вам бы́ло** 4 го́да / 7 лет / … ?
  Что вы люби́ли? Что у вас бы́ло?
  О чём вы мечта́ли? Чего́ вы боя́лись?

- Как и где вы бу́дете жить, когда́ **вам бу́дет** 70 лет?
  Что у вас бу́дет? Что вы бу́дете люби́ть?

4 го́да	15 лет	18 лет	25 лет
35 лет	50 лет	70 лет	100 лет

6 ОТВЕЧАЕМ НА ВОПРОСЫ:

- Что зна́чит «ста́рый»?
- Когда́ телефо́ну 5 лет и до́му 5 лет, они ста́рые?
- Что вы ду́маете, когда́ лю́ди говоря́т: «Я ещё молодо́й/молода́я», «Я уже́ ста́рый/ста́рая»?
- Как вы ду́маете, сколько им лет?

ста́рый дом ....   ста́рая соба́ка ....

ста́рый телефо́н ....   ста́рый го́род ....

ста́рая карти́на ....   ста́рые фотогра́фии ....

7

Гениа́льные де́ти

поступа́ть — поступи́ть (куда́?) в университе́т
ока́нчивать — око́нчить (что?) университе́т
бакала́вр — дипло́м бакала́вра — получи́ть дипло́м бакала́вра
маги́стр — дипло́м маги́стра — получи́ть дипло́м маги́стра

 ОТВЕЧАЕМ НА ВОПРОСЫ:

- Каки́е тала́нты у вас бы́ли в де́тстве?
- Что вы уме́ли де́лать в де́тстве, а что хоте́ли уме́ть?
- Вы зна́ете исто́рии тала́нтливых дете́й?

ТВ26

СЛУШАЕМ ИСТОРИИ ДЕТЕЙ И ДЕЛАЕМ КОМБИНАЦИИ:

матема́тика	Елисе́й	Росси́я
медици́на	Акри́т	И́ндия
му́зыка	Джейкоб	Бангладе́ш
IT (ай-ти)	Васи́к	Аме́рика
	Дании́л	

ЧИТАЕМ ИХ ИСТОРИИ И ПИШЕМ ПРАВИЛЬНЫЕ ФОРМЫ.

■ **Даниил** — тала́нтливый музыка́нт из Ю́жно-Сахали́нска. Когда́ _____ (он) бы́ло 5 лет, _____ (он) уже́ хорошо́ игра́л на пиани́но, а в 7 лет дава́л конце́рты. В 8 _____ (он) да́ли пе́рвую пре́мию на междунаро́дном ко́нкурсе. Сейча́с _____ (он) 16, и _____ (он) игра́ет с лу́чшими симфони́ческими орке́страми Росси́и, уже́ выступа́л в Ка́рнеги-хо́лле.

■ **Елисе́й** из Ста́врополя то́же пиани́ст. Когда́ _____ (он) бы́ло 3 го́да, _____ (он) на́чал игра́ть на пиани́но, а в 5 лет на́чал писа́ть му́зыку. Это са́мый молодо́й музыка́нт, кото́рый уча́ствовал в телеко́нкурсе «Си́няя пти́ца» и победи́л. Сейча́с _____ (он) даёт конце́рты в лу́чших конце́ртных за́лах Москвы́, с _____ (он) игра́ет в 4 руки́ пиани́ст Дени́с Мацу́ев. А ещё Елисе́й у́чится в музыка́льной шко́ле.

■ **Акри́т** из И́ндии — медици́нский ге́ний! _____ (Он) сде́лал пе́рвую опера́цию, когда́ _____ (он) бы́ло 7 лет и _____ (он) ещё не́ было дипло́ма. Когда́ _____ (он) бы́ло 12 лет, _____ (он) поступи́л в медици́нский институ́т, а в 17 лет _____ (он) уже́ получи́л дипло́м маги́стра. Сейча́с _____ (он) и́щет лека́рство от ра́ка.

■ **Дже́йкоб** — америка́нский матема́тик. Когда́ _____ (он) бы́ло 2 го́да, врачи́ сказа́ли, что _____ (он) аути́зм и _____ (он) не бу́дет говори́ть, чита́ть и писа́ть. Но когда́ _____ (он) бы́ло 3 го́да, _____ (он) уже́ знал алфави́т, а когда́ _____ (он) бы́ло 10 лет, _____ (он) поступи́л в университе́т Индиа́ны. Сейча́с _____ (он) специали́ст по ква́нтовой фи́зике.

■ **Васи́к** — са́мый ма́ленький IT-экспе́рт в ми́ре. В 3 го́да _____ (он) на́чал рабо́тать в те́кстовом реда́кторе, а в 4 — изуча́ть языки́ программи́рования и популя́рные програ́ммы. Гениа́льный ма́льчик из Бангладе́ш нигде́ не учи́лся. Сейча́с _____ (он) 11 лет, _____ (он) рабо́тает в одно́й сингапу́рской компа́нии. А ещё _____ (он) интересу́ют компью́терные и́гры, косми́ческие техноло́гии и археоло́гия.

8 🗣 ВЫ СОГЛА́СНЫ? ПОЧЕМУ́?

- ☐ 1. У всех дете́й есть тала́нты!
- ☐ 2. Де́ти не должны́ мно́го учи́ться и дава́ть конце́рты, им ну́жно норма́льное де́тство.
- ☐ 3. Успе́х дете́й — результа́т амби́ций роди́телей.
- ☐ 4. Де́ти не мо́гут де́лать опера́ции, э́то опа́сно для пацие́нтов.
- ☐ 5. Нельзя́ тра́тить мно́го вре́мени на му́зыку, на́до изуча́ть серьёзные ве́щи.

МНЕ ХОРОШО

Dat. +	... -о
кому?	как?
мне	хо́лодно — жа́рко
тебе́	хорошо́ — пло́хо
вам	интере́сно — ску́чно
нам	легко́ — тру́дно
всем	ве́село — гру́стно
никому́ не	удо́бно
	прия́тно
	стра́шно

Он смешно́й.

кто? како́й? характери́стика	кому́? как? эмо́ция
Я хоро́ший!	Мне хорошо́!

Ему́ смешно́.

1 **Модель:**

Э́то Ша́рик. Он хоро́ший.

Ему́ хорошо́.

Ему́ пло́хо.

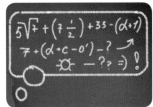 

Он _____ плохо́й.
Ему́ _____ пло́хо.

Э́то зада́ча. _____ тру́дная.
Э́то Йра. _____ о́чень тру́дно.

Э́то кни́га. _____ интере́сная.
Э́то Ка́тя. _____ интере́сно.

Э́то слова́рь. _____ ску́чный.
Э́то Ва́ся. _____ ску́чно.

Э́то ту́фли. _____ неудо́бные.
Э́то де́вушки. _____ неудо́бно.

Э́то ко́бра. _____ стра́шная.
Э́то де́вушка. _____ стра́шно.

   Правда (+) или неправда (–)? Почему?

1. (Я) интере́сно изуча́ть грамма́тику. ☐ ☐
2. (Мы) легко́ говори́ть по-ру́сски. ☐ ☐
3. (Профе́ссор) стра́шно на экза́мене. ☐ ☐
4. (Ма́ма) тру́дно гото́вить и убира́ть. ☐ ☐
5. (Де́ти) легко́ жить. ☐ ☐
6. (Я) ве́село смотре́ть но́вости. ☐ ☐
7. (Тури́сты) ску́чно смотре́ть музе́и. ☐ ☐
8. (Все) прия́тно получа́ть пода́рки. ☐ ☐
9. Эго́исты помога́ют (все), (кто) пло́хо. ☐ ☐

• Вы позити́вный челове́к?
• Вам всегда́ хорошо́ и ве́село?

ТВ27

  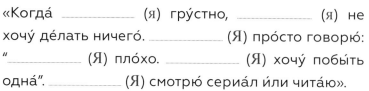 Что делать, когда вам грустно? Это серьёзный вопрос. Читаем, потом слушаем и проверяем.

Ольга

«Когда _____ (я) грустно, _____ (я) не хочу делать ничего. _____ (Я) просто говорю: "_____ (Я) плохо. _____ (Я) хочу побыть одна". _____ (Я) смотрю сериал или читаю».

Игорь

_____ (Игорь) помогает традиционный русский рецепт: когда _____ (он) плохо, _____ (он) звонит друзьям и _____ (они) вместе идут в баню, а после бани _____ (он) легко, весело и хорошо.

Катя

Когда _____ (она) грустно, _____ (она) идёт в спортзал. Спорт помогает _____ (она), и после тренировки _____ (она) всегда лучше.

Свен

«Когда _____ (я) грустно, _____ (я) начинаю активно работать. Работа всегда помогает _____ (я) быть в форме. Если _____ (вы) грустно, это важный сигнал: надо менять жизнь, искать новую работу, новых друзей или новое хобби».

Психологи говорят, что, если _____ (вы) грустно, трудно, плохо, нужно попробовать писать стихи или картины, играть музыку или петь. Говорят, это помогает.

4 Что вы делаете в этих ситуациях? Какой метод эффективнее?

- Когда́ мне пло́хо, я...
- Когда́ мне стра́шно, я...
- Когда́ мне бо́льно, я...
- Когда́ мне ску́чно, я...
- Когда́ мне тру́дно, я...

А что вы делаете, когда вам хорошо?

Сейча́с **мне интере́сно** говори́ть по-ру́сски.
Ра́ньше **мне бы́ло стра́шно** говори́ть по-ру́сски.
Ско́ро **мне бу́дет легко́**. Я оптими́стка!

5 Семья вчера была в кино. Смотрим на картинку и говорим, какие у них эмоции.

Модель: Сы́ну **бы́ло** ску́чно.

6   Читаем фразы и говорим, что думаем.

Модель: Ра́ньше мне **бы́ло стра́шно** води́ть маши́ну.
Сейча́с мне **прия́тно** води́ть маши́ну.
Через 50 лет мне **бу́дет тру́дно** води́ть маши́ну.

води́ть маши́ну	бе́гать	знако́миться
говори́ть нет	сдава́ть экза́мены	жить
зараба́тывать де́ньги	танцева́ть	сиде́ть до́ма
гото́вить	ката́ться на лы́жах	рабо́тать в саду́
лета́ть на самолёте	путеше́ствовать	не спать но́чью

МНЕ НРАВИТСЯ...

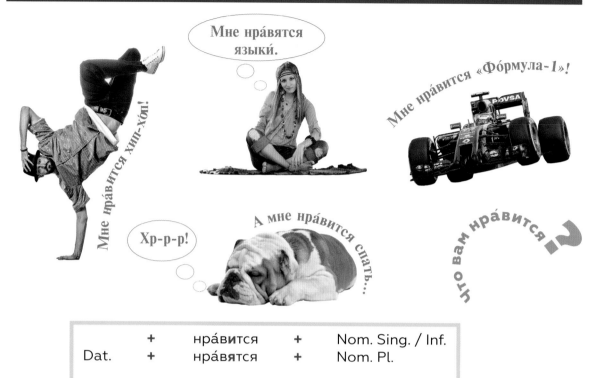

Dat.	+	нра́вится	+	Nom. Sing. / Inf.
	+	нра́вятся	+	Nom. Pl.

Мне нра́вится
- спорт.
- му́зыка.
- мо́ре.
- танцева́ть.

Мне не нра́вятся экза́мены.

7

📖 🗣 ЧИТАЕМ И ГОВОРИМ. ЧТО ИМ НРАВИТСЯ, А ЧТО НЕ НРАВИТСЯ? А ВАМ?

Моде́ль: Кла́усу **нра́вится** смотре́ть бале́т, но ему́ **не нра́вится** танцева́ть.
Мне **нра́вится** танцева́ть, но **не нра́вится** бале́т.

Кла́ус — смотре́ть бале́т **+** / танцева́ть **–**

Мари́на — гото́вить **–** / есть **+**

Али́са — краси́вая фигу́ра **+** / трениро́ваться **–**

Майкл — у́жинать в рестора́не **+** / плати́ть **–**

Слава́ — рабо́та **+** / встава́ть ра́но **–**

Фе́дя — де́ньги **+** / плати́ть нало́ги **–**

Ка́тя — фотографи́ровать **+** / фотографи́роваться **+**

Де́ти — убира́ть **–** / пода́рки **+**

Студе́нты — учи́ться **+** / сдава́ть экза́мены **–**

8 Работа в группе. Спрашиваем и отвечаем.

Модели: — Вам нра́вится ра́но встава́ть?
— Коне́чно, нет! Мне ужа́сно не нра́вится! А вам?
— Мне то́же!

— Тебе́ нра́вятся татуиро́вки?
— Да, о́чень нра́вятся! А тебе́?
— Мне не о́чень.

учи́ться	изуча́ть грамма́тику	гото́вить	убира́ть
смотре́ть телеви́зор	игра́ть в ка́рты	путеше́ствовать	пла́вать в бассе́йне
отдыха́ть на мо́ре	бе́гать	рабо́тать	смотре́ть хокке́й
сиде́ть в Интерне́те	ждать	гуля́ть в па́рке	слу́шать орке́стр
покупа́ть проду́кты	фотографи́роваться	е́здить на такси́	лета́ть на самолёте

CB

Я был в Ме́ксике. Мне **понра́вился** кли́мат.
Мне **понра́вилась** страна́.
Мне **понра́вилось** мо́ре.
Мне **понра́вились** пирами́ды.

 9  Пишем **2** интересные страны, где вы были.
Спрашиваем и отвечаем.

Модель: — Ты была́ в Ме́ксике?
— Нет, не была́. Я была́ в И́ндии.
— Пра́вда? **Тебе́ понра́вилось?**
— И да и нет.
— **Тебе́ понра́вилась пого́да?**
— Да, пого́да мне понра́вилась.
— **Тебе́ понра́вился оте́ль?**
— Нет, оте́ль мне не понра́вился.

Что понра́вилось	Страна́			
	Я был/была́:	Я был/была́:	Студе́нт 2:	Студе́нт 2:
Всё	☐	☐	☐	☐
Пого́да	☐	☐	☐	☐
Оте́ль	☐	☐	☐	☐
Еда́	☐	☐	☐	☐
Лю́ди	☐	☐	☐	☐
Архитекту́ра	☐	☐	☐	☐
Се́рвис	☐	☐	☐	☐
Экску́рсии	☐	☐	☐	☐

МНЕ НАДО, НУЖНО, МОЖНО, НЕЛЬЗЯ...

> Я хочу́ есть. Мне **на́до** гото́вить.
> Мы студе́нты. Нам **ну́жно** сдава́ть экза́мены.
> Нам 18 лет. Нам **мо́жно** жени́ться.
> У меня́ нет ви́зы. Мне **не́льзя** е́хать в Аме́рику.

Dat. +	на́до ну́жно мо́жно нельзя́	+ **Inf.**

Кто?

Я
Я люблю́
Я хочу́
Я могу́
Я не могу́

Кому́?

Мне
Мне нра́вится
Мне на́до/ну́жно
Мне мо́жно
Мне нельзя́

1 Nom. или Dat.?

1. .... хо́чет спать, но .... на́до встава́ть. (он)

2. .... на́до плати́ть нало́ги, но .... не хочу́. (я)

3. .... 18 лет. .... уже́ мо́жно жени́ться, но ....
не могу́ найти́ де́вушку. (я)

4. Карме́н хо́чет пожи́ть в Москве́. Снача́ла .... ну́жно получи́ть ви́зу,
потому́ что без ви́зы .... нельзя́ е́хать в Росси́ю. А .... о́чень не
хо́чет её де́лать! (она́)

5. Пе́тер весь ве́чер сиде́л в ба́ре. .... ду́мает, что .... мо́жет е́хать
на маши́не, но .... нельзя́! Как вы ду́маете, почему́? (он)

2 Что им можно/нельзя/надо/нужно делать?

де́ти вегетариа́нцы	спортсме́н космона́вт	балери́на иностра́нцы

3 🎧 🎬 Слушаем диалоги и пишем фразы.

🎧 ТВ28

1. .... готóвить.

2. .... есть десéрт.

3. .... спать.

4. .... взять кредúт?
.... собрáть докумéнты.

5. .... бóльше есть.
.... курúть.

4 🎬 Вы соглáсны?

	Да	Нет
• Все лю́ди равны́.	☐	☐
• Всем нáдо служúть в áрмии.	☐	☐
• Мóжно водúть машúну в 16 лет.	☐	☐
• Дéтям мóжно плáкать, а родúтелям — нет.	☐	☐

📖 🎬 Читаем текст и пишем слова в правильной форме. 🔑

Мы очень рáзные!

■ Мы обы́чно дýмаем и говорúм, что лю́ди равны́. Но э́то не так прóсто! Мы все рáзные! У́мные и глýпые, трудогóлики и безрабóтные, стáрые и молоды́е, мужчúны и жéнщины. У .... (мы) рáзный вóзраст и интеллéкт, рáзные талáнты и интерéсы. А ещё мы все живём в рáзных стрáнах, поэ́тому нóрмы и прáвила у нас тóже рáзные.

■ Напримéр, в Росси́и и Еврóпе .... (все) мóжно водúть машúну тóлько в 18 лет, а в Амéрике — в 16. Есть стрáны, где .... (мужчúны) нáдо служúть в áрмии, а .... (жéнщины) — не нáдо. Éсли .... (жéнщина) хóчет — .... (онá) мóжно, но необязáтельно! В Изрáиле .... (все) нáдо служúть, а в Амéрике .... (никтó) не нáдо, но .... (все) мóжно.

■ Ещё приме́р: в Росси́и .... (де́ти и же́нщины) мо́жно пла́кать, а .... (мужчи́ны) — нельзя́. Есть стра́ны, где .... (они́) то́же мо́жно пла́кать, э́то да́же романти́чно. Для .... (мы) э́то стра́нно, а для .... (вы)?

■ Е́сли у .... (же́нщина) есть семья́, ... (она́) мо́жно не рабо́тать. А е́сли у .... (мужчи́на) есть семья́ — .... (он) на́до рабо́тать мно́го! Э́то тради́ция!

■ .... (Соба́ки) нельзя́ е́здить в метро́ и лета́ть на самолёте в сало́не. А ещё .... (живо́тные) обы́чно нельзя́ жить в оте́ле. .... (Де́ти) нельзя́ не ходи́ть в шко́лу, но мо́жно не рабо́тать.

• Что мо́жно и нельзя́, на́до и не на́до де́лать в ва́шей стране́?
• Каки́е но́рмы и табу́ в ми́ре вы зна́ете?

Dat.		Nom.	
Мне	**ну́жен**	дом.	**m.**
Вам +	**нужна́** +	рабо́та.	**f.**
Кому́	**ну́жно**	сча́стье?	**n.**
Всем	**нужны́**	де́ньги.	**Pl.**

Мне ну́жно всё.   Всем нужна́ еда́.   Никому́ не нужны́ пробле́мы.
Вам ну́жен ру́сский язы́к?   Не всем нужны́ де́ти.   Кому́ ну́жен телеви́зор?

5 **Что вам ну́жно? А что нет? Почему́?**

Мне...

любо́вь   маши́на   де́ньги   соба́ка   мотоци́кл

ро́бот   друзья́   ребёнок   косме́тика   витами́ны

диплом

телевизор

наушники

компьютер

лыжи

бриллианты

кошка

армия

цветы

кофе

🗣 Вы согласны? Почему? Что ещё нужно этим людям?

 6 Нужен — нужна — нужно — нужны. Да или нет? Что ещё им нужно?

1. Студентам .... свобода .... клубы .... работа
2. Детям .... любовь .... контроль .... деньги
3. Мужчинам .... футбол .... мясо .... комплименты
4. Женщинам .... диета .... карьера .... дети
5. Политикам .... популярность .... деньги .... оппозиция
6. Спортсменам .... фанаты .... здоровье .... допинг

ЗДОРОВЬЕ

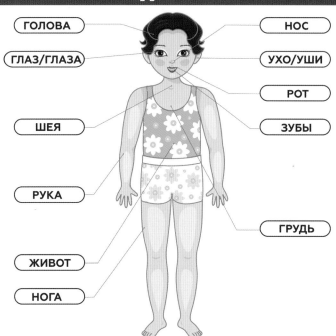

ГОЛОВА · НОС · ГЛАЗ/ГЛАЗА · УХО/УШИ · РОТ · ШЕЯ · ЗУБЫ · РУКА · ГРУДЬ · ЖИВОТ · НОГА

БОЛЕ́ТЬ — 1

я боле́ю	мы боле́ем
ты боле́ешь	вы боле́ете
он/она́ боле́ет	они́ боле́ют

Я счастли́вый челове́к.
Я никогда́ **не боле́ю**!

Де́ти в го́роде ча́сто **боле́ют**.

БОЛЕ́ТЬ — 2

я ___	мы ___
ты ___	вы ___
он/она́ боли́т	они́ боля́т

У него́ боли́т   голова́.
                         рука́.
                         нога́.

Что у вас
боли́т?

У меня́	**боли́т**	голова́, живо́т, спина́, ру́ка, нога́, зуб, душа́
	боля́т	зу́бы, у́ши, но́ги

У КОГО́ БОЛИ́Т ЧТО?

У неё боля́т у́ши.

7 Как вы думаете, что у них болит? Слушаем диалоги и пишем слова.

 ТВ29

1. — Ты почему́ така́я гру́стная?
   — .... си́льно боли́т.
   — Тебе́ на́до ме́ньше ду́мать!

2. — Здра́вствуйте! Что у вас боли́т?
   — Ой, до́ктор! У меня́ .... боли́т.
   — О́чень интере́сно!

3. — Алло́! Приве́т! Как ты?
   — Ужа́сно! У меня́ боли́т ....
   Ой-ой-ой!
   — Бе́дная!

4. — Что с тобо́й?
   — У меня́ боли́т ....
   Вчера́ весь день рабо́тала в саду́.
   — Заче́м? Сейча́с всё мо́жно купи́ть в магази́не.

КАК ВЫ СЕБЯ ЧУВСТВУЕТЕ?

чу́вствовать себя́ хорошо́/пло́хо
лу́чше/ху́же

  8 Слушаем диалоги и ставим номера.

 ТВ30

— До́брый день! Как **вы себя́ чу́вствуете?**
— Спаси́бо, уже́ лу́чше!

— До́ктор, как **он себя́ чу́вствует?**
Ему́ лу́чше?
— Не ху́же.

— Как **ты себя́ чу́вствуешь?**
— Ужа́сно! Голова́ боли́т, температу́ра...
— Тебе́ на́до позвони́ть врачу́.

— Приве́т! Как **ты себя́ чу́вствуешь?**
— Так себе́, душа́ боли́т.
Спать не могу́.

  9 Играем!
Студе́нт 1 — пацие́нт. Расска́зывает, что у него́ боли́т.
Студе́нт 2 — врач. Спра́шивает и даёт сове́ты.

К КОМУ?

идти́/е́хать ходи́ть/е́здить	+ к	+ Dat.	

Андре́й идёт
к де́вушке.

Соба́ка идёт
к ветерина́ру.

Ми́ша е́дет
к ба́бушке.

ГДЕ?

КУДА́? **В** ОТКУ́ДА?

В + Accus.   В + Prep.   ИЗ + Gen.

в Москву́   в Москве́   из Москвы́

ГДЕ?

КУДА́? **НА** ОТКУ́ДА?

НА + Accus.   НА + Prep.   С + Gen.

на рабо́ту   на рабо́те   с рабо́ты

ГДЕ?

КУДА́? ОТКУ́ДА?
К КОМУ́? У КОГО́? ОТ КОГО́?

К + Dat.   **У** + Gen.   **ОТ** + Gen.

Я иду́ **к врачу́**.   Я был **у врача́**.   Я иду́ **от врача́**.

Моде́ль: Москва́, подру́га ⇒ Я е́здил в Москву́ к подру́ге.
Я был в Москве́ у подру́ги.
Я е́ду из Москвы́ от подру́ги.

1. Фи́тнес-клу́б, инстру́ктор.
2. Ватика́н, па́па.
3. Ло́ндон, короле́ва.
4. Консульта́ция, адвока́т.
5. Встре́ча, партнёры.
6. По́льша, друзья́.

2 А СЕЙЧАС ДЕЛАЕМ ПРЕЗЕНТАЦИЮ. ХОРОШО, ЕСЛИ У ВАС ЕСТЬ ФОТОГРАФИИ.

- Когда́, куда́ и к кому́ вы ходи́ли/е́здили?
- Где и у кого́ вы бы́ли? Что вы там де́лали?

  3

1. Что вы де́лаете, когда́ вам пло́хо: звони́те .... (друзья́) и́ли идёте .... (психо́лог)?
2. Что де́лать, е́сли вам не нра́вится зарпла́та: сказа́ть .... (колле́ги) и́ли идти́ .... (дире́ктор)?
3. Что важне́е: ходи́ть в го́сти .... (друзья́) и́ли писа́ть и звони́ть .... (они́)?
4. Что эффекти́внее: писа́ть и посыла́ть рекла́му .... (клие́нты) и́ли е́здить .... (клие́нты)?

ПО + DAT.

| экза́мен | ПО | матема́тике
ру́сской литерату́ре
ру́сскому языку́ | ме́неджер | ПО | рекла́ме |
| лéкция | | литерату́ре
грамма́тике
ру́сской исто́рии | дире́ктор | | персона́лу
марке́тингу
прода́жам |

гуля́ть **по** го́роду — идти́ **по** у́лице — ходи́ть **по** магази́нам

 КАКИЕ ЛЕКЦИИ И ЭКЗАМЕНЫ У ВАС ЕСТЬ?
ВЫ ЛЮБИТЕ ГУЛЯТЬ ПО ГОРОДУ? А ХОДИТЬ ПО МАГАЗИНАМ?

НЕ НАДО + НСВ

		+ НСВ	+ СВ
	надо нужно хочу советую рекомендую	+ НСВ	+ СВ
НЕ	надо нужно хочу советую рекомендую	+ НСВ	——

Не на́до покупа́ть эту маши́ну.
Тебе́ **на́до купи́ть** но́вую маши́ну.

Я **не сове́тую** его́ **про́бовать**!
Я **сове́тую попро́бовать** ры́бу!

Я **не хочу́ брать** о́тпуск зимо́й.
Я **хочу́ взять** о́тпуск ле́том.

4 🗣 Как вы ду́маете, что НА́ДО и НЕ НА́ДО де́лать в э́тих ситуа́циях?

24 %

3 000 000 $

5 ЧТО НАДО, А ЧТО НЕ НАДО ДЕЛАТЬ В ЭТИХ СИТУАЦИЯХ? ДАЙТЕ ЕЩЁ СВОИ СОВЕТЫ.

Модель: Если болит голова .... (принимать — принять таблетку / пить — выпить кофе). ⇨
Если болит голова, **не надо** пить кофе, **нужно** принять таблетку. Ещё я рекомендую принять душ и поспать.

1. Если вы устали, ... (спать — поспать / танцевать — потанцевать).
2. Если у вас нет работы, ... (находить — найти работу / открывать — открыть бизнес).
3. Если у вас нет дома, ... (снимать — снять квартиру / покупать — купить квартиру в кредит).
4. Если у вас депрессия, ... (смотреть — посмотреть комедию / идти — пойти к психологу).
5. Если вы не хотите жить один/одна, ... (знакомиться — познакомиться в Интернете / покупать — купить собаку или кошку).
6. Если у друга день рождения, ... (покупать — купить подарок / забывать — забыть).
7. Если вам скучно, ... (убирать — убрать квартиру / приглашать — пригласить гостей).
8. Если вам жарко, ... (открывать — открыть холодильник / включать — включить кондиционер)
9. Если вы хотите есть, ... (идти — пойти в гости / заказывать — заказать пиццу).
10. Если у вас стресс, ... (гулять — погулять в парке / бить — разбить посуду).

ДЕНЬ РОЖДЕНИЯ

Это тебе!
Желаю тебе здоровья и счастья!

желать	+	кому?	+	чего?
		Dat.		Gen.

Я желаю студентам удачи на экзамене!
Кому и чего вы желаете?

6   **Модель: Я желаю маме здоровья.**

Я желаю

сестра	радость
друзья	деньги
учитель	удача
папа	счастье
брат	успех
все	

115

Урок 47

7

• Вам нра́вится ваш день рожде́ния?
• Вам бо́льше нра́вится дари́ть пода́рки и́ли получа́ть?
• Каки́е пода́рки вы лю́бите получа́ть и дари́ть?
• Вам тру́дно выбира́ть пода́рки друзья́м?
• Каки́е пода́рки нельзя́ дари́ть в ва́шей стране́?
• Что вы обы́чно де́лаете в день рожде́ния?
• Кого́ вы приглаша́ете?
• Како́й был ваш лу́чший день рожде́ния?

8

• Кому́ мо́жно подари́ть э́ти пода́рки?
• Что мо́жно подари́ть люби́мой де́вушке, ма́ме, па́пе, му́жу, жене́, де́тям, друзья́м?
• Како́й пода́рок вы хоти́те получи́ть?

9

ТВ31

СЛУШАЕМ ДИАЛОГ И ОТВЕЧАЕМ НА ВОПРОСЫ:

• Куда́ они́ иду́т?
• Когда́?
• К кому́?
• Ско́лько ему́ лет?
• Что они́ подари́ли?
• Каки́е вариа́нты пода́рков у них бы́ли?

  ЧИТАЕМ И ПИШЕМ ПРАВИЛЬНЫЕ ФОРМЫ. СЛУШАЕМ И ПРОВЕРЯЕМ.

И́горь: Ми́лая, что ты де́лаешь в суббо́ту ве́чером?

О́льга: Ты что, не по́мнишь? .... (Мы) идём на день рожде́ния к твоему́ ста́ршему бра́ту.

И́горь: То́чно, Во́ве бу́дет уже́ 42 го́да! То́лько .... (мы) ещё на́до купи́ть пода́рок!

О́льга: Ну, ... (я) тру́дно вы́брать, ты .... (он) лу́чше зна́ешь! А пото́м, мне ка́жется, ... (он) ничего́ не ну́жно: у .... (он) уже́ всё есть!

И́горь: У него́ нет соба́ки. Как ты ду́маешь, ... (он) нужна́ соба́ка? По-мо́ему, э́то хоро́шая иде́я!

116

Ольга: К сожале́нию, ... (он) нельзя́ име́ть соба́ку! .... (Он) так ча́сто нет до́ма, что у .... (она́) бу́дет депре́ссия...

Игорь: Хорошо́, а что нам .... (он) подари́ть? Кни́гу?

Ольга: Нет, кни́ги сейча́с электро́нные. Мо́жет быть, про́сто де́ньги? Де́ньги лу́чше, чем ве́щи, потому́ что де́ньги — э́то люба́я вещь!

Игорь: Э́то примити́вно, а .... (он) нра́вятся сюрпри́зы...

Ольга: Слу́шай, я зна́ю! Мы мо́жем подари́ть .... (он) сертифика́т. Э́то сейча́с о́чень популя́рно. Он мо́жет сам вы́брать, что .... (он) бо́льше нра́вится. Мо́жно лета́ть на самолёте, мо́жно брать уро́ки му́зыки или та́нцев, мо́жно вы́брать масса́ж или визи́т в спа-сало́н.

Игорь: Отли́чная иде́я, ... (я) нра́вится! А .... (я) на день рожде́ния ты пода́ришь тако́й сертифика́т?

В суббо́ту:

Игорь: Пора́ идти́! .... (Мы) уже́ ждут. А .... (мы) ещё на́до купи́ть цветы́ его́ жене́.

Ольга: Мину́тку, ... (я) на́до ещё оде́ться.

Игорь: Тогда́ я позвоню́ Во́ве и скажу́, что .... (мы) опозда́ем...

У Влади́мира:

Игорь: Приве́т! По-здра-вля́-ем! Жела́ем .... (ты) ра́дости, здоро́вья, сча́стья! Ка́тя, э́ти цветы́ .... (ты)!

Ка́тя: .... (Я)? Спаси́бо, каки́е краси́вые ро́зы!

Влади́мир: А мне? Э́то у .... (я) день рожде́ния!

Ольга: А .... (ты) мы да́рим шанс получи́ть но́вые эмо́ции!

Влади́мир: Что э́то? Откры́тка?

Игорь: Э́то сертифика́т, ... (ты) мо́жешь вы́брать, что .... (ты) нра́вится: та́нцы, бокс, масса́ж, парашю́т...

Влади́мир: О, э́то интере́сно, спаси́бо!

 ОТВЕЧА́ЕМ НА ВОПРО́СЫ:

• Куда́ иду́т в суббо́ту И́горь и О́льга?
• Ско́лько Влади́миру лет?
• Почему́ они́ не да́рят ему́ соба́ку?
• Как вы ду́маете, соба́ка — хоро́ший пода́рок?
• Что они́ да́рят Ка́те?
• Вам нра́вится, когда́ вам да́рят кни́ги?
• Вы чита́ете электро́нные кни́ги?
• Вы то́же ду́маете, что дари́ть де́ньги — э́то примити́вно?
• Како́й пода́рок на день рожде́ния хо́чет И́горь?
• Что вы сове́туете Влади́миру вы́брать: та́нцы, бокс, масса́ж и́ли парашю́т?

ИМПЕРАТИВ

Хоро́шая но́вость: вы уже́ зна́ете **ИМПЕРАТИ́В!**

ЗДРА́ВСТВУЙТЕ!

ИЗВИНИ́ТЕ!

ПРОСТИ́ТЕ!

СКАЖИ́ТЕ!

Формы императива:

1. .... а/о/у... + **Й**

			ты	вы
слу́шать ⇨ я слу́ша-ю ⇨ слу́ша + Й ⇨ слу́шай слу́шайте

де́лать .... чита́ть .... попро́бовать ....

2. ....´ + **И**

смотре́ть ⇨ я смотрю́ ⇨ смотр + И́ ⇨ смотри́ смотри́те

говори́ть .... позвони́ть .... подожда́ть ....

3. ....´.................... + **Ь**

быть ⇨ я бу́ду ⇨ бу́д + Ь ⇨ бу́дь ⇨ бу́дьте

Будь здоро́в! Бу́дьте здоро́вы!

Ме́ньше говори́, бо́льше де́лай!

дать — Дай! Да́йте!
есть — Ешь! Е́шьте!
пить — Пей! Пе́йте!
помо́чь — Помоги́! Помоги́те!

!

ПИСА́ТЬ

я пишу́	мы пи́шем
ты пи́шешь	вы пи́шете
он/она́ пи́шет	они́ пи́шут
Пиши́! Пиши́те!	

С / Ш

!

ПРИГЛАСИ́ТЬ

я приглашу́	мы пригласи́м
ты пригласи́шь	вы пригласи́те
он/она́ пригласи́т	они́ приглася́т
Пригласи́! Пригласи́те!	

!

1  ЧИТАЙТЕ ДИАЛОГИ И ИЩИТЕ ИМПЕРАТИВЫ!
СКОЛЬКО ИМПЕРАТИВОВ ВЫ ВИДИТЕ?

— Покажи́те, пожа́луйста, ва́ши докуме́нты!
— Вот мой па́спорт, смотри́те.

— Слу́шай, у меня́ пробле́ма. Посове́туй, что де́лать.
— Ду́май сам. Дава́й лу́чше танцева́ть!

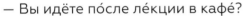

— Вы идёте по́сле ле́кции в кафе́?
— Да, как всегда́.
— Подожди́те меня́, я то́же хочу́!
— Лу́чше приходи́ в кафе́, мы бу́дем там.

— Алло́! Приве́т! Послу́шай, у меня́ есть но́вости!
— Извини́, я на рабо́те! Позвони́ ве́чером!

— Скажи́те, пожа́луйста, что э́то?
— Э́то «Ру́сский сала́т». Попро́буйте!

2

 Посмотрите на картинки. Дайте советы, как жить хорошо и долго. Используйте глаголы в императиве.

Как жить хорошо́ и до́лго?

Модель: Не е́шьте га́мбургеры! Лу́чше е́шьте о́вощи!

есть

га́мбургер

фру́кты

ры́ба

торт

пить

ко́ка-ко́ла

вода́

ко́фе

вино́

играть

те́ннис

гольф

гита́ра

казино́

слу́шать

кла́ссика

рэп

учи́тель

се́рдце

 А сейчас дайте ваши советы.

3   Расскажите, какие советы дают вам ваши друзья и родители. Что они советуют делать больше, а что меньше? Вы с ними согласны? Почему?

Модель:
Папа говорит: «Меньше говори, больше делай!»
Я согласен/согласна, потому что говорить легко, а делать трудно!

больше...   меньше...

мечтать	работать	читать	смотреть в зеркало
гулять	думать	помогать людям	смотреть телевизор
есть	отдыхать	путешествовать	слушать советы
спать	рисковать	верить людям	сидеть в Интернете

 А СЕЙЧАС ДАЙТЕ ВАШИ СОВЕТЫ.

4   Слушайте диалоги и пишите слова. Слушайте ещё раз и проверяйте.

TB32

1. — .... , пожалуйста, эту матрёшку.

   — Вот, пожалуйста, ...

2. — Алло! Здравствуйте! .... !

   — .... , у меня совсем нет времени! .... завтра!

3. — .... , пожалуйста, что это?

   — Это традиционное русское блюдо. .... !

4. — .... ! Сейчас я расскажу вам о нашем проекте.

   — Лучше .... , я потом прочитаю.

5. — .... ! У меня новость: я иду на свадьбу к Ричарду.

   — .... ему привет!

6. — Папа, а что мы делаем в субботу?

   — .... маму, она лучше знает.

7. — Вы идёте в кафе?

   — Да, через 5 минут.

   — .... меня, я тоже хочу!

НЕ + ИМПЕРАТИВ НСВ

5 Попробуйте найти картинку для каждой фразы. Соедините фразу и картинку.

Посмотри на меня!

Не смотри на меня!

Покажите документы!

Скажи правду!

Никому не говори!

Не бери!

Возьми!

Не показывай ПИН-код!

6 Прочитайте описание ситуаций. Попросите.

Модель:
Ваш русский друг говорит слишком быстро. ⇨ **Говори, пожалуйста, медленно!**

1. Ваш друг любит звонить ночью.
2. Ваш сосед идёт в магазин, а у вас нет продуктов.
3. Учитель любит давать большую домашнюю работу.
4. Ваш друг не прочитал ваше сообщение.
5. Ваша собака Шарик гуляет и не хочет идти домой.

 ШАРИК — ПОПУЛЯРНОЕ РУССКОЕ ИМЯ ДЛЯ СОБАКИ.
А КАК ОБЫЧНО ЗОВУТ СОБАКУ В ВАШЕЙ СТРАНЕ?

**Прочитайте советы иностранцам в России.
Вставьте не, где это нужно. Используйте формы императива.**

Модель:

.... (снима́ть) у́личную о́бувь в до́ме! ⇨ **Снима́йте** у́личную о́бувь в до́ме!

Сове́ты иностра́нцам в Росси́и

1. .... (изуча́ть) ру́сский язы́к: в Росси́и лю́ди пло́хо говоря́т по-англи́йски!

2. .... (говори́ть) мно́го о пого́де: ру́сские ду́мают, что э́то глу́по!

3. .... (говори́те) бы́стро! Ва́жные лю́ди в Росси́и говоря́т ме́дленно.

4. .... (про́бовать) ру́сскую ку́хню.

5. .... (пить) квас и .... (есть) суп.

6. Е́сли хоти́те сказа́ть тост, ... (говори́ть): «За ва́ше здоро́вье!» — и .... (говори́ть): «На здоро́вье!»

7. Когда́ идёте в го́сти, ... (купи́ть) торт и ма́ленькие пода́рки для дете́й.

8. .... (говори́ть) «ты» незнако́мым лю́дям!

9. .... (ве́рить), когда́ ру́сские говоря́т: «Э́то недалеко́». Росси́я — са́мая больша́я страна́ в ми́ре, поэ́тому 1000 киломе́тров для нас — э́то «недалеко́».

10. Е́сли вы приглаша́ете де́вушку в рестора́н, ... (заплати́ть) за у́жин: в Росси́и ду́мают, что э́то норма́льно.

11. .... (говори́ть) лю́дям на у́лице «мужчи́на», «же́нщина» и́ли «това́рищ», лу́чше .... (сказа́ть) про́сто: «Извини́те»!

12. .... (критикова́ть) жизнь в Росси́и: ру́сские лю́бят критикова́ть Росси́ю, но не лю́бят, когда́ э́то де́лают иностра́нцы.

 Слушайте и проверяйте!

ТВ33

 Вам понравились советы? Вы согласны или нет? Какие ещё советы вы можете дать?

ДАВАЙТЕ...

Давáй, -те	+	говори́ть по-рýсски! **поговори́м** о любви́!	НСВ (Inf.) СВ (фóрма «мы»)

1 Кто что предлагáет?

Дéти
Учи́тель
Начáльник
Гринпи́с
Прави́тельство
Дóктор
Друзья́
Фи́тнес-инстрýктор

Давáйте порабóтаем в выходны́е!
Давáйте люби́ть прирóду!
Давáйте игрáть!
Давáйте плати́ть бóльше налóгов!
Давáйте пойдём в бар!
Давáйте тренировáться кáждый день!
Давáйте не пить и не кури́ть!
Давáйте писáть тест!

2 Читáйте фрáзы и смотри́те на картинки. Скажи́те, кто что говори́т? Слýшайте и проверя́йте.

ТВ34

1.

2.

3.

4.

5.

6.

____5.____ Жáрко! Давáй .... (поплáвать)!

_____ Что ты сиди́шь? Давáй .... (потанцевáть)!

_____ Не нáдо спóрить! Давáйте .... (искáть) компроми́сс!

_____ Какáя хорóшая погóда! Давáйте ещё .... (погуля́ть)!

_____ Что ты всё врéмя смóтришь в телефóн! Давáй .... (поговори́ть)!

_____ Хвáтит смотрéть телеви́зор! Давáйте .... (ýжинать)!

Читайте ситуации и обсуждайте в группе, что делать.

Модель: Давáйте ... !

1. Вы отдыхáете в гостúнице на мóре, но весь день идёт дождь, и вы не знáете, что дéлать.
2. Три студéнта хотя́т есть, но в холодúльнике тóлько 2 яйцá и 1 банáн.
3. У вас урóк рýсского языкá, а учúтеля в клáссе нет.
4. У вас день рождéния, вы приглашáете друзéй, но не знáете, что дéлать.
5. У вас гóсти-инострáнцы, и вы организýете для них прогрáмму.
6. У вас выходнóй и нет дéнег.
7. Вы вы́играли мнóго дéнег в лотерéю, все друзья́ и семья́ óчень рáды, и все вмéсте дýмают, как потрáтить дéньги.
8. Вáши друзья́ в теáтре, а их актúвные дéти у вас дóма. Вы не знáете, что дéлать.

ЗАЧЕМ?   ЧТОБЫ + INF.

— **Зачéм** вы изучáете рýсский?
— Я изучáю рýсский, **чтóбы рабóтать** в Россúи.

— **Зачéм** вы рабóтаете?
— Я рабóтаю, **чтóбы зарабáтывать** дéньги.

— **Зачéм** вам нужны́ дéньги?
— Мне нужны́ дéньги, **чтóбы жить**!

  Зачем ... ?

• Зачéм вы изучáете рýсский?
• Зачéм лю́ди жéнятся?
• Зачéм лю́ди читáют?
• Зачéм лю́ди путешéствуют?
• Зачéм лю́ди живýт?

 Зачем нужны ... ?

дом	рабóта	дéньги	семья́	друзья́
врéмя	Интернéт	телефóн	мýзыка	Олимпиáда
свобóда	музéй	языкú	кафé	университéт

... ЧТОБЫ + ПРОШЕДШЕЕ ВРЕМЯ

Я хочу́ жить 100 лет.

Я принима́ю витами́ны, **что́бы жить** 100 лет.

Я хочу́, **что́бы лю́ди жи́ли** 100 лет.

Студе́нты хотя́т говори́ть по-ру́сски.
Учи́тель хо́чет, что́бы **студе́нты** хорошо́ **говори́ли** по-ру́сски.
Студе́нты хотя́т, что́бы **ру́сский язы́к был** ле́гче. А вы? Ва́ши иде́и!

5

 Учитель (не) хочет, чтобы студенты...

люби́ть язы́к	спать	всё знать	пла́кать на экза́мене
мно́го рабо́тать	есть	слу́шать	сиде́ть в Интерне́те...

 Студенты (не) хотят, чтобы учитель...

люби́ть студе́нтов	мно́го знать	дава́ть те́сты
шути́ть	уважа́ть студе́нтов	спра́шивать
боле́ть	дава́ть дома́шнюю рабо́ту	расска́зывать анекдо́ты...

6

Модель:
Я не хочу́, что́бы меня́ (контроли́ровать). ⇨
Я не хочу́, что́бы меня́ контроли́ровали.

1. Вы хоти́те, что́бы други́е вас (контроли́ровать)? ....

....

2. Я мечта́ю, что́бы всегда́ (быть) ле́то. ....

....

3. Я хочу́, что́бы все меня́ (люби́ть и уважа́ть). ....

....

4. Я хочу́, что́бы вы меня́ (поня́ть). ....

....

5. Роди́тели мечта́ют, что́бы де́ти (быть) здоро́вые и счастли́вые. ....

....

6. Мно́гие роди́тели хотя́т, что́бы де́ти всегда́ их (слу́шать). ....

....

7. Госуда́рство хо́чет, что́бы лю́ди (плати́ть) больши́е нало́ги. ....
....

8. Я хочу́, что́бы лю́ди (ду́мать) обо мне́ хорошо́. ....
....

9. Вы хоти́те, что́бы все (говори́ть) пра́вду? ....
....

10. Я хочу́, что́бы лю́ди (ду́мать), что говоря́т. ....
....

> Я о́чень хочу́, что́бы **у меня́**   **был** большо́й **дом.**
> **была́** хоро́шая **семья́.**
> **бы́ло мно́го друзе́й.**
> **бы́ли де́ньги.**

7

Я не хочу́, что́бы **у меня́** .... стресс.
.... враги́.
.... депре́ссия.
.... мно́го пробле́м.

8   РАБО́ТАЙТЕ В ПА́РЕ. СЕЙЧА́С ВА́ШИ ИДЕ́И. КТО БОЛЬШЕ?

Моде́ль:
— Ты хо́чешь, что́бы у тебя́ бы́ли друзья́?
— Коне́чно, я хочу́, что́бы у меня́ бы́ли друзья́. А ты?

друзья́	враги́	рабо́та	стресс	тала́нт
семья́	здоро́вье	де́ти	маши́на	би́знес
свобо́да	де́ньги	пробле́мы	кры́лья	а́нгел...

9   ВЫ СОГЛА́СНЫ? ПОЧЕМУ́?

☐ 1. Ва́жно, что́бы лю́ди .... (де́лать) то́лько то, что хотя́т.
☐ 2. На́до, что́бы всё .... (быть) беспла́тно.
☐ 3. Ва́жно, что́бы все .... (рабо́тать).
☐ 4. На́до, что́бы мужчи́ны .... (рабо́тать), а же́нщины ....
(сиде́ть) до́ма.
☐ 5. На́до, что́бы все .... (быть) жена́ты.
☐ 6. На́до, что́бы в ка́ждой семье́ .... (быть) де́ти.
☐ 7. Ва́жно, что́бы лю́ди .... (де́лать), что говоря́т.

INSTRUMENTAL № 5

m.	n.	f.	Pl.
-ОМ/-ем		-ОЙ/-ей -ЬЮ	-АМИ/-ями

чем?

Я пишу́ ру́чк**ой**, ем суп ло́жк**ой**, а ду́маю голов**о́й**.

Боксёр рабо́тает рук**а́ми**, а футболи́ст — ног**а́ми**.

1

1. Чем мо́жно писа́ть?

- ру́чка
- каранда́ш
- кровь

2. Чем мо́жно есть? Чем едя́т в Евро́пе, в А́зии, в А́фрике?
   Чем мо́жно есть суп, пи́ццу, мя́со, ку́рицу, торт, чи́псы, су́ши?

- ви́лка
- ло́жка
- ру́ки
- нож
- па́лочки

3. Чем игра́ют в футбо́л, в хоккей, в ша́хматы?

- ру́ки
- но́ги
- голова́
- по́па

4. Чем бьют боксёры?

- ру́ки
- но́ги
- голова́
- ви́лка

5. Чем лю́ди лю́бят?
   Чем лю́бят мужчи́ны, же́нщины, поэ́ты?

- голова́
- се́рдце
- душа́
- глаза́
- у́ши
- ру́ки

6. Чем мо́жно плати́ть?

- де́ньги
- ка́рта
- зо́лото
- рубли́
- до́ллары
- жизнь

С КЕМ? С ЧЕМ?

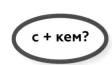

с + кем?

Я хожу́ в спортза́л **с** дру́г**ом**, в кино́ **с** подру́г**ой**, а в бар **с** друзь**я́ми**. Мои́ сосе́ди живу́т как ко́шка **с** соба́к**ой**.

с людьми́
с детьми́ **!**

 2 С КЕМ ИЛИ С ЧЕМ ОНИ РАБО́ТАЮТ?

Моде́ль: Учи́тель рабо́тает с людьми́.
Учи́тель не рабо́тает с те́хникой.

Кто?	С кем? С чем?
учи́тель	лю́ди
полице́йский	докуме́нты
инжене́р	де́ньги
программи́ст	де́ти
журнали́ст	информа́ция
психо́лог	компью́теры
бухга́лтер	те́хника
адвока́т	ци́фры
официа́нт	клие́нты

Интере́сно рабо́тать с…
Тру́дно рабо́тать с…

Ужа́сно рабо́тать с…
Я хочу́ рабо́тать с…

со мно́й	с на́ми
с тобо́й	с ва́ми
с ним/ней	с ни́ми

Э́то Ша́рик. Я гуля́ю **с ним**.
Он гуля́ет **со мно́й**.

Э́то на́ша учи́тельница.
Она́ говори́т **с на́ми** по-ру́сски.

 3 Пишите.

1. Вы меня́ не понима́ете! Я не могу́ говори́ть с …………………………… !

2. У меня́ есть попуга́й. Я с …………………………… разгова́риваю.

3. Мы идём на пляж. Ты идёшь с …………………………… ?

4. Я люблю́ тебя́ и хочу́ всегда́ быть с …………………………… !

5. У тебя́ так мно́го де́нег! Что ты с …………………………… де́лаешь?

6. Пожа́луйста, говори́те со …………………………… то́лько по-ру́сски!

С ЧЕМ?

с + чем?

бутербро́д **с** колбасо́й   вода́ **с** га́з**ом**   пи́цца **с** гриба́**ми**   мя́со **с** карто́шк**ой**

4

Я люблю... / Я не люблю...

чай с (лимо́н)	блины́ с (мя́со)	пи́цца с (морепроду́кты)
сала́т с (моцаре́лла)	ко́фе с (молоко́)	соси́ски с (ке́тчуп)
пиро́г с (я́блоки)	спаге́тти с (сыр)	моро́женое с (фру́кты)

5

ТВ35

Читайте диалоги, меняйте картинки на слова. Потом слушайте и проверяйте.

1.

— О, вот «Теремо́к»! Давно́ пора́ попро́бовать ру́сскую ку́хню. Ты хо́чешь есть?

— Да, дава́й поеди́м! А что у них есть?

— Ра́зные блины́: с .... , с .... ,

с .... , с .... и ....

— Да?! Я не знал, что .... — ру́сская ку́хня...

— Да нет, про́сто ру́сские лю́бят экзо́тику.

— Я хочу́ класси́ческий блин.

— Тогда́ лу́чше с .... и́ли с ....

Прия́тного аппети́та!

• Каку́ю ку́хню вы лю́бите, а каку́ю — нет? Почему́?
• Вы лю́бите экзо́тику? Что для вас экзо́тика?

2.

— Э́то что? Равио́ли?

— И да и нет. Э́то пельме́ни, ру́сские равио́ли, то́лько вкусне́е.

— На́до попро́бовать! А с чем они́?

— Обы́чно с .... Есть ещё с .... , иногда́

с ....

— Нет, я вегетариа́нка.

— Тогда́ бери с .... и .... !

— С .... ? Я бою́сь, э́то пло́хо для фигу́ры.

- Вы зна́ете похо́жие блю́да в ра́зных стра́нах?
- Каки́е блю́да едя́т то́лько в ва́шей стране́?
- Что хорошо́, а что пло́хо есть для фигу́ры?
- Фигу́ра – э́то ва́жно?
- Вы лю́бите гото́вить?
- Каки́е блю́да вы уме́ете гото́вить?
- А вы уме́ете де́лать блины́? Каки́е?

Ма́стер-кла́сс «Блины́»

Вы мо́жете сде́лать два блина́. У вас есть проду́кты:

ры́ба	икра́	мя́со	грибы́	сыр	ку́рица
смета́на	капу́ста	яйцо́	мёд	шокола́д	я́блоки
джем	беко́н	зе́лень	о́вощи	карто́шка	со́ус

Рабо́тайте в пара́х. У кого́ са́мый вку́сный блин? У кого́ са́мый необы́чный блин? Чей блин вы хоти́те попро́бовать?

Моде́ль: — С чем у тебя́ блин?

— У меня́ блин с капу́стой, беко́ном и яйцо́м.

— С капу́стой? А э́то вку́сно?

— О́чень вку́сно! А у тебя́ с чем?

— С ку́рицей и я́блоками.

— Пра́вда?! Никогда́ не ел ку́рицу с я́блоками.

— Я то́же. Хочу́ попро́бовать.

БЫТЬ / СТАТЬ / РАБОТАТЬ + КЕМ?

быть работать стать	**КЕМ?**	адвока́том журнали́сткой друзья́ми	инжене́ром балери́ной партнёрами

На́до быть оптими́ст............, что́бы изуча́ть ру́сский.
Ну́жно роди́ться с тала́нт............, что́бы стать компози́тор............ .
Я хочу́ рабо́тать волонтёр............ . Я люблю́ помога́ть лю́дям.
Мы лю́бим друг дру́га и хоти́м стать му́ж............ и жен............ .

7 **КЕМ ОНИ РАБОТАЮТ?**

Ари́на

Мари́я

А́нна

Ро́ма и Ри́та

Али́на

Ле́на

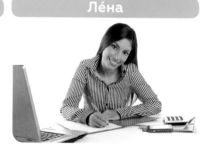

Ви́ктор

Ири́на

8 **КАКИЕ ПРОФЕССИИ ВЫ ЗНАЕТЕ? КТО ЗНАЕТ БОЛЬШЕ?**

• Кем рабо́тать интере́сно, ску́чно, прести́жно? Кем рабо́тать тру́дно, а кем — легко́?
• Кем все хотя́т быть? Кем никто́ не хо́чет быть?

• Кем вы сейча́с рабо́таете? Кем вы рабо́тали ра́ньше? Кем вы ра́ньше мечта́ли стать?

9 **ВЫ СОГЛАСНЫ? ПОЧЕМУ?**

☐ 1. Хорошо́ быть (ко́шка), (пти́ца), (де́рево), (ребёнок).
☐ 2. Ну́жен тала́нт, что́бы стать (худо́жник), (такси́ст), (жена́).
☐ 3. Легко́ быть (мужчи́на), (же́нщина), (роди́тели).
☐ 4. Ка́ждый хо́чет стать (чемпио́н), (миллионе́р), (звезда́).

ИНТЕРЕСОВАТЬСЯ / УВЛЕКАТЬСЯ / ЗАНИМАТЬСЯ + ЧЕМ?

интересова́ться	**ЧЕМ?**	поли́тик**ой**	язык**а́ми**
увлека́ться		бале́т**ом**	иску́сств**ом**
занима́ться		би́знес**ом**	му́зык**ой**

Анто́н занима́ется би́знес**ом**. Он хо́чет стать миллионе́р**ом**.
Та́ня увлека́ется му́зык**ой**. Она́ хо́чет стать звезд**о́й**.
Я интересу́юсь поли́тик**ой**, но не хочу́ быть поли́тик**ом**.
Де́ти увлека́ются футбо́л**ом**. Они́ мечта́ют стать футболи́ст**ами**.

10 Чем они занима́ются?

А́нна	Арту́р	Серге́й

Дави́д	О́льга	Све́та

Макси́м	Мари́на	Артём

11   Работайте в паре.

— Чем вы занима́етесь в свобо́дное вре́мя?
— Я занима́юсь да́йвингом.

— Чем вы интересу́етесь?
— Я интересу́юсь иску́сством.

— Чем вы увлека́лись ра́ньше?
— В шко́ле я увлека́лась та́нцами.

спорт	та́нцы	бокс	бале́т	брейк-да́нс	лы́жи
му́зыка	да́йвинг	фи́тнес	йо́га	астроло́гия	бег
футбо́л	те́ннис	хокке́й	пла́вание	бодиби́лдинг	языки́

12 Чем сейчас интересуются молодые люди? Чем заниматься популярно, интересно, опасно, дорого, глупо?

ADJECTIVE: INSTRUMENTAL № 5

m.	n.	f.	pl.
Каки́м? -ЫМ/-им		Како́й? -ОЙ/-ей	Каки́ми? -ЫМИ/-ими

— Я занима́юсь спо́рт**ом**.

— А́нна увлека́ется му́зык**ой**.

— Мы интересу́емся язык**а́ми**.

— Я люблю́ встреча́ться с друзь**я́ми**.

→

— Каки́м?

— Како́й?

— Каки́ми?

— С каки́ми?

1

 СПРАШИВАЙТЕ И ОТВЕЧАЙТЕ.

1. (Како́й спорт) вы занима́етесь?
2. С (каки́е стра́ны) дру́жит ва́ша страна́?
3. С (каки́е сосе́ди) комфо́ртно жить?
4. С (каки́е лю́ди) вам прия́тно обща́ться, жить, рабо́тать?
5. С (кака́я же́нщина) мужчи́на сча́стлив?
6. С (како́й мужчи́на) же́нщина сча́стлива?
7. С (каки́е живо́тные) нельзя́ жить в кварти́ре?

Он	**до́лжен**		
Она́	**должна́**	+	рабо́тать, быть…
Оно́	**должно́**		
Они́	**должны́**		

Я ду́маю, что ка́ждый челове́к до́лж**е**н рабо́тать.

Я счита́ю, что всё должн**о́** быть беспла́тным.

Вы согла́сны, что все де́ти должн**ы́** учи́ться?

Вся эне́ргия должн**а́** быть от Со́лнца.

2

  ДУМАЙТЕ И ПИШИТЕ СВОЁ МНЕНИЕ: ДОЛЖЕН ИЛИ НЕ ДОЛЖЕН. ПОЧЕМУ ВЫ ТАК СЧИТАЕТЕ?

1. Учи́тель .... люби́ть студе́нтов.
2. Учи́тель .... уважа́ть студе́нтов.
3. Студе́нты .... носи́ть фо́рму.
4. Студе́нты .... сдава́ть экза́мены.
5. Студе́нты .... рабо́тать.
6. Журнали́сты .... писа́ть, что ду́мают.
7. Футболи́сты .... игра́ть беспла́тно.
8. Живо́тные .... жить с челове́ком.
9. Муж .... зараба́тывать бо́льше, чем жена́.
10. Ма́ма .... уме́ть вку́сно гото́вить.
11. Де́ти .... име́ть всё, что хотя́т.
12. Популя́рные лю́ди .... жить как все.
13. Бога́тые стра́ны .... помога́ть бе́дным стра́нам.

Модель: — **Каки́м** до́лжен быть президе́нт?
— Президе́нт до́лжен быть у́мным, че́стным и краси́вым!

— **Како́й** должна́ быть рабо́та?
— Рабо́та должна́ быть интере́сной и креати́вной.

— **Каки́ми** должны́ быть де́ти?
— Де́ти должны́ быть акти́вными и счастли́выми!

Как вы думаете, каки́ми должны́ и не должны́ быть:

ма́ма	па́па	друзья́
сосе́ди	учи́тель	президе́нт

у́мный	до́брый	серьёзный	пасси́вный
глу́пый	весёлый	си́льный	надёжный
че́стный	креати́вный	сла́бый	жа́дный

 Вы согласны? Почему?

☐ 1. Образова́ние должно́ быть пла́тным.
☐ 2. Еда́ и кварти́ры должны́ быть беспла́тными.
☐ 3. Нало́ги должны́ быть больши́ми.
☐ 4. Грани́цы должны́ быть откры́тыми.
☐ 5. Де́ньги должны́ быть электро́нными.
☐ 6. Лю́ди должны́ быть ра́зными.

ПОД, НАД, ЗА, ПЕРЕД, МЕЖДУ, РЯДОМ С + INSTRUMENTAL

5 **Где находятся кошки? Сколько их?**

6 Вы учились в школе?
У вас есть одноклассники?
Вы общаетесь с ними?
Вы часто встречаетесь?
О чём вы говорите?

 ТВ36

 Слушайте диалог и выбирайте, КЕМ ХОТЕЛИ СТАТЬ И КЕМ СТАЛИ ЭТИ ЛЮДИ.

Булгáков   Лéрмонтов   Слáва   Татья́на   И́горь   Ромáн   А́нна

биóлог	писáтель	поэ́т	литератýрный крúтик
врач	бизнесмéн	офицéр	психóлог
балерúна	стюардéсса	спортсмéнка	мáма

 Читайте текст и ищите все слова в Instr. Потом задайте вопросы к этим словам.

Модель: дéт**ским** — как**и́м**?
писáт**елем** — к**ем**?

Тáня: Привéт, Слáва!

Слáва: Э́то ты, Тáня? Скóлько лет, скóлько зим!

Тáня: Как ты? Где живёшь? Чем занимáешься?

Слáва: Я стал дéтским писáтелем. Пишý кни́ги для детéй.

Та́ня: Да что́ ты! Ты всегда́ был осо́бенным, ещё в шко́ле!

Сла́ва: Я? Почему́ осо́бенным? Всё логи́чно: Булга́ков был врачо́м и писа́л о доктора́х, Ле́рмонтов был офице́ром и писа́л о геро́ях, а я был ребёнком и пишу́ о де́тях и для дете́й. Всегда́ хорошо́, когда́ пи́шет специали́ст.

А ты, ка́жется, занима́лась те́ннисом. Ты ста́ла спортсме́нкой?

Та́ня: Нет, како́й спорт! Я рабо́тала психо́логом. Сейча́с не рабо́таю, я за́мужем, у меня́ 2 сы́на.

Сла́ва: Зна́чит, ты за́мужем?

Та́ня: Да, я за́мужем за прекра́сным челове́ком. Он занима́ется би́знесом и о́чень мно́го рабо́тает! А что с други́ми на́шими однокла́ссниками?

Сла́ва: Я встреча́лся с И́горем. Он стал био́логом. А ты по́мнишь Аню́ Покро́вскую?

Та́ня: Да, кото́рая занима́лась бале́том! Ста́ла балери́ной?

Сла́ва: Нет, рабо́тает стюарде́ссой… Говори́т, что ей нра́вится: лета́ет в ра́зные стра́ны.

Та́ня: А я ещё встреча́лась с Рома́ном. Он стал литерату́рным кри́тиком.

Сла́ва: Да, он ещё в шко́ле не люби́л литерату́ру!

Та́ня: Э́то то́чно! Слу́шай, извини́, мне пора́ идти́. Была́ ра́да с тобо́й встре́титься!

Сла́ва: Подожди́, хо́чешь, я твои́м де́тям свои́ кни́ги подарю́? Хоро́шие, с карти́нками.

Та́ня: Пра́вда? Коне́чно! Они́ бу́дут ра́ды. Вот мой телефо́н. Пиши́, звони́!

Сла́ва: Спаси́бо! До встре́чи! Пока́!

- Где познакомились Таня и Слава? Кем стал Слава? Как он это объясняет?
- Чем занималась Таня? Она стала спортсменкой? Чем занимается её муж?
- Кем стала Таня? Ей нравится её работа?
- Кем стал Роман? Что Слава говорит о Романе?
- Что Слава хочет подарить детям Тани?

  7 **Что делать, если:**

- ва́ша до́чка хо́чет стать солда́том?
- ваш ребёнок хо́чет стать поэ́том / кло́уном?
- ваш друг стал алкого́ликом / наркома́ном?
- ваша жена́ встреча́ется с други́м мужчи́ной / ваш муж встреча́ется с друго́й же́нщиной?
- сосе́д занима́ется чёрной ма́гией?
- ваш партнёр занима́ется экстрема́льным спо́ртом?
- ва́ша жена́ увлека́ется дие́тами / пласти́ческими опера́циями?
- вы ви́дите на у́лице челове́ка с больши́м пистоле́том?
- ве́чером ва́ши во́лосы бы́ли чёрными, а у́тром ста́ли бе́лыми?
- у вас на рабо́те был сканда́л с нача́льником?
- ря́дом с ва́шим до́мом стро́ят аэропо́рт?

УРОК 52

ГЛАГОЛЫ ДВИЖЕНИЯ С ПРЕФИКСОМ ПО-

	НСВ		СВ

ИДТИ

я иду́   мы идём
ты идёшь   вы идёте
он/она́ идёт   они́ иду́т
шёл — шла — шло — шли

ПОЙТИ

я пойду́   мы пойдём
ты пойдёшь   вы пойдёте
он/она́ пойдёт   они́ пойду́т
пошёл — пошла́ — пошло́ — пошли́

Е́ХАТЬ

я е́ду   мы е́дем
ты е́дешь   вы е́дете
он/она́ е́дет   они́ е́дут
е́хал — е́хала — е́хало — е́хали

ПОЕ́ХАТЬ

я пое́ду   мы пое́дем
ты пое́дешь   вы пое́дете
он/она́ пое́дет   они́ пое́дут
пое́хал — пое́хала — пое́хало — пое́хали

Я за́втра **иду́** на конце́рт.

А я не хочу́ **идти́**. Я не люблю́ джаз.

Сейча́с Свен **е́дет** в Сиби́рь.

А я не хочу́ **е́хать** в Сиби́рь. Там хо́лодно!

Я то́же хочу́ **пойти́**!

Я то́же не **пойду́**.

Мы то́же хоти́м **пое́хать** в Сиби́рь.

Мы то́же не **пое́дем**.

---

1 Ку́да вы хоти́те пойти́/пое́хать? А ку́да не хоти́те идти́/е́хать? Почему́?

 идти́ — пойти́

Моде́ль:
— Я за́втра иду́ на бале́т. Вы хоти́те пойти́ со мно́й?
    — Да, я о́чень **хочу́ пойти́**.
        — А я **не хочу́ идти́**. Я не люблю́ бале́т.

е́хать — пое́хать

— Я ско́ро е́ду на Бали́. Вы **хоти́те пое́хать** со мно́й?
— Да, я **мечта́ю пое́хать** в А́зию. Говоря́т, там краси́во.
— Я **не хочу́ е́хать**. Там сли́шком жа́рко!

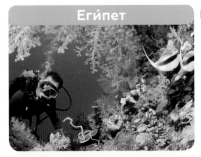
Еги́пет

Сиби́рь

И́ндия

Амазо́нка

Камча́тка

Алта́й

2

   Читайте диалоги и пишите ПОЙТИ/ПОЕХАТЬ в правильной форме. Потом слушайте и проверяйте. Отвечайте на вопросы.

ТВ37

1.

— Сла́ва бо́гу, пя́тница! Куда́ пойдём?

— Мо́жет быть, пойдём в бар «Чемпио́н»? Сего́дня футбо́л, «Зени́т» — «Спарта́к».

— Нет, я .... в кино́. Там но́вый «Шéрлок Холмс». А ты .... ?

— Нет, не .... Я пото́м в Интернéте посмотрю́.

— Футбо́л то́же мо́жно до́ма посмотрéть.

— Нет, я в бар .... , там атмосфéра!

- А куда́ вы пойдёте в пя́тницу? Вы хоти́те пойти́ в спорт-ба́р? Где лу́чше смотрéть фи́льмы, до́ма в Интернéте или в кино́? А футбо́л? Где хоро́шая атмосфéра?

ТВ38

2.

— Ско́ро кани́кулы! Ты домо́й .... ?

— Нет, не .... Что я там не ви́дел?! Я с друзья́ми поéду в Берли́н. Там клу́бы, концéрты! Культу́рная столи́ца Евро́пы... Поéдешь с на́ми?

— Нет, не .... Я .... домо́й, меня́ роди́тели ждут!

— Ла́дно, как хо́чешь! В Берли́не кру́то!

- Вы хоти́те поéхать в Берли́н? Куда́ вы хоти́те поéхать? Где культу́рная столи́ца Евро́пы? А Амéрики и А́зии?

ТВ39

3.

— Вы диплома́ты, вы эли́та страны́, мо́жно сказа́ть, её лицо́! Ско́ро вы полу́чите дипло́мы на́шей Дипломати́ческой акадéмии и .... в ра́зные стра́ны.

— А кто куда́ .... ?

— Вы, напримéр, ... в Росси́ю.

— Я не .... в Росси́ю. Я не говорю́ по-ру́сски. Ру́сский язы́к о́чень тру́дный. Есть други́е вариа́нты?

— Конéчно, есть. Тогда́ вы .... в Гватема́лу.

— Я .... в Гватема́лу? Почему́ в Гватема́лу?

— Потому́ что вы говори́те по-испа́нски. А кто говори́т по-португа́льски, поéдет в Брази́лию.

— А я говорю́ по-францу́зски... Куда́ я .... ? В Пари́ж?

— Вы .... в Алжи́р.

- Каки́е языки́ вы зна́ете? Куда́ вы мо́жете поéхать как диплома́т? А куда́ хоти́те поéхать? Почему́ в Гватема́ле говоря́т по-испа́нски, а в Алжи́ре — по-францу́зски?

4.

ТВ40

— Какой кошмар! Мы все заболели. У нас грипп. Значит, завтра все сидим дома и принимаем таблетки.

— Как дома? А ты не .... на работу?

— Не пойду. И ты не .... Дима тоже в школу не ....

— Ура!!! А на футбол я .... ?

— Ты что, какой футбол? Не пойдёшь.

— Ну-у-у-у...

• Как вы думаете, если человек болеет, куда он может пойти, а куда — нет?

 3

Модель:

— Вы не знаете, где Оля? — .... (тренировка). ⇨
— Она **пошла на тренировку**.

1. — Дети дома? — .... (школа).
2. — Где сейчас Борис? — .... (Москва).
3. — Наташа здесь? — .... (бассейн).
4. — Алло! Можно Катю? — .... (университет).
5. — Вы не знаете, где директор? — .... (Женева).
6. — А где гости? — .... (дом).
7. — А где ваши соседи? — .... (Америка).

141

ПОЙТИ, ПОЕХАТЬ: МАРШРУТ

Сравните:

был, ходил

сначала пошёл **потом пошёл** **потом пошёл**

4 КУДА ОНИ ХОТЯТ ПОЙТИ В СУББОТУ? А ВЫ?

Модель:

Марина: салон красоты, ресторан.

В субботу Марина хочет **сначала пойти** в салон красоты, а **потом** хочет **пойти** в ресторан.

Ричард: футбол, бар
Даниела: йога, концерт Брамса
Майкл и Барбара: пляж, танго, дом

5 КУДА ОНИ ХОТЯТ ПОЕХАТЬ В ОТПУСК? А ВЫ?

Модель: Летом Клаус и Линда планируют **поехать сначала** в Амстердам, а **потом** в Брюссель.

Пётер	·····>	Москва	········>	Иркутск	········>	Владивосток
Ник и Крис	·····>	Вьетнам	········>	Лаос	········>	Камбоджа
Алекс и Саманта	·····>	Эквадор	········>	Перу	········>	Боливия

6 ЗАВТРА ПОНЕДЕЛЬНИК. ЧТО ОНИ ЗАВТРА ДЕЛАЮТ?

Модель:

Завтра утром Крис **пойдёт** на работу, потом он **пойдёт** в бассейн, а потом **пойдёт** домой отдыхать.

Крис — врач.

Влад — автомеханик. ⇨ ⇨ ⇨ ⇨

Даша — секретарь. ⇨ ⇨ ⇨

Алиса и Лиза — студентки. ⇨ ⇨ ⇨

7   **ВЧЕРА БЫЛА СУББОТА. ЧТО ОНИ ДЕЛАЛИ? КУДА ОНИ ХОДИЛИ В СУББОТУ?**
КАК ВЫ ДУМАЕТЕ, КУДА ОНИ ПОШЛИ СНАЧАЛА, А КУДА — ПОТОМ?

Модель:

| работа — | бар + | кино́ + | бассе́йн + |

Крис

Вчера́ была́ суббо́та, поэ́тому Крис **не ходи́л** на рабо́ту.
Он весь день отдыха́л! Он **ходи́л** в кино́, в бар и в бассе́йн.

Крис сснача́ла **пошёл** ⇨ в бассе́йн, пото́м ⇨ в кино́, а пото́м он **пошёл** ⇨ в бар.

Влад: | паб + | футбо́л + | сало́н красоты́ — | спортза́л + |

Да́ша: | рестора́н + | суперма́ркет — | сва́дьба + | сало́н красоты́ + |

Али́са и **Ли́за:** | клуб + | музе́й — | йо́га + | кафе́ + |

8   **СМОТРИМ НА КАРТЫ И ГОВОРИМ, КУДА ОНИ ПОЕДУТ СНАЧАЛА, А КУДА —**
ПОТОМ.

То́мас
То́мас живёт в Герма́нии. Он о́чень
лю́бит путеше́ствовать.
То́мас **хо́чет пое́хать** в Лати́нскую
Аме́рику. У него́ о́чень интере́сный
маршру́т.
Снача́ла То́мас **пое́дет** в Гондура́с,
пото́м он **пое́дет** в Колу́мбию,
пото́м...

Ве́ра, **На́дя** и **Лю́ба**
Ве́ра, На́дя и Лю́ба лю́бят мо́ре,
со́лнце, культу́ру и шо́пинг.
Они́ хотя́т пое́хать в Евро́пу.

Снача́ла они́...

Сáндра
Сáндра — америкáнский фотóграф.

Андрéас
Андрéас пишет книгу о буддизме.

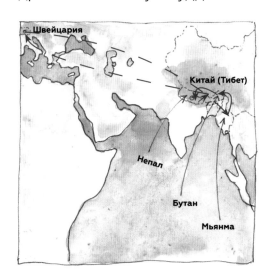

 Через год... Правда или нет?

Тóмас
Тóмас говорит, что он **éздил** в Гондурáс, в Эквадóр, в Перý, в Венесуэ́лу, в Боливию и в Колýмбию.
Тóмас хорошó пóмнит своё путешéствие: сначáла он поéхал в Гондурáс, потóм...

Вéра
Вéра говорит, что онá **éздила** в Рим, в Милáн, в Неáполь, в Турин, во Флорéнцию и в Венéцию.
Вéра рассказывает, что у неё бы́ло óчень интерéсное путешéствие.

Сáндра
Сáндра говорит, что онá **éздила** в Таилáнд, в Малáйзию, в Корéю, в Лаóс, во Вьетнáм и в Камбóджу.
У неё бы́ло интерéсное, но трýдное путешéствие.

Андрéас
Андрéас написáл книгу о буддизме. Он рассказáл, как он **éздил** в Мьянмý, в Бутáн, в Непáл, в Индию, в Бурятию, в Индонéзию и в Тибéт.
Он нарисовáл кáрту путешéствия.

9 ЧИТАЙТЕ ТЕКСТ, ПИШИТЕ ФОРМЫ ПОЙТИ/ПОЕХАТЬ.

— Не понима́ю, как мо́жно бы́ло за грани́цей потеря́ть па́спорт?! Тепе́рь что де́лать?

— Пойдём в ко́нсульство, они́ ска́жут, что де́лать.

— Подожди́, дава́й попро́буем снача́ла па́спорт найти́. Ты по́мнишь, что ты вчера́ де́лал?

— Ну коне́чно! У́тром я вста́л и .... на за́втрак: здесь, в гости́нице. По́сле за́втрака сра́зу .... в Лувр: я слы́шал, там о́череди. Я в Лу́вре был до обе́да, о́чень понра́вилось! А из Лу́вра я .... в рестора́н. Пообе́дал и .... гуля́ть, посмотре́л Нотр-Да́м, вы́пил ко́фе и ве́чером .... в теа́тр.

— И всё?

— Всё, по́сле теа́тра взял такси́ и .... в гости́ницу.

— Ла́дно, за́втра пое́дем иска́ть: .... в Лувр, в рестора́н, в теа́тр, а е́сли не найдём, тогда́ .... ко́нсульство.

— Сно́ва в Лувр? Отли́чный план!

 СЛУШАЙТЕ И ПРОВЕРЯЙТЕ.

TB41

 ОТВЕЧАЙТЕ НА ВОПРОСЫ:

• Как вы ду́маете, где мо́жет быть па́спорт?
• А вы теря́ли докуме́нты и́ли други́е ва́жные ве́щи? Расскажи́те!
• Вы бы́ли в Пари́же? Куда́ вы там ходи́ли?

 ПОГОВОРИТЕ ДРУГ С ДРУГОМ:

• Вы лю́бите путеше́ствовать?
  Куда́ вы уже́ е́здили? Где вы бы́ли?
• Куда́ вы лю́бите ходи́ть за грани́цей?
  Что вы там де́лаете?
• Расскажи́те о ва́шем после́днем путеше́ствии.
  Нарису́йте ваш маршру́т.

УРОК 53

ГЛАГОЛЫ ДВИЖЕНИЯ С ПРЕФИКСАМИ

НСВ

пере-

в-

вы-

**-ходи́ть
-езжа́ть
-лета́ть**

у-

при-

за-

СВ

пере-

в-

вы-

**-йти
-ехать
-лете́ть**

у-

при-

за-

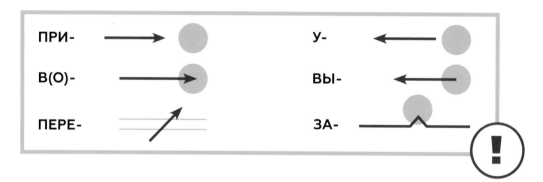

ПРИ-	→	●	**У-**	←	●
В(О)-	→	●	**ВЫ-**	←	●
ПЕРЕ-	↗		**ЗА-**		●

!

ПРИ-

Я мно́го рабо́таю и всегда́ **при**хожу́ домо́й по́здно.
Вчера́ я **при**шёл домо́й в 10 ве́чера.

У-

— Почему́ вы ещё на рабо́те?
— Я люблю́ рабо́тать и не хочу́
  уходи́ть домо́й!

— Почему́ ты гру́стный?
— Моя́ де́вушка **у**шла́.

В (О / Ъ)-

Тук-тук! Мо́жно **во**йти́?

ВЫ-

Извини́те, мо́жно **вы́**йти?

— Алло́! Ты где? Я тебя́ жду!
— Извини́, я уже́ **вы**хожу́.

ПЕРЕ-

Нельзя́ **пере**ходи́ть у́лицу на кра́сный свет.
Соба́ка не зна́ет, как **пере**йти́ доро́гу.
Я хочу́ **пере**е́хать в большо́й го́род.

ЗА-

В аэропорту́ я всегда́ **за**хожу́
в дьюти-фри́.

Ты не хо́чешь **за**йти́ в кафе́?

ПРИХОДИ́ТЬ НСВ	ПРИЙТИ́ СВ

приходи́л/а/о/и	пришёл / пришла́ / пришло́ / пришли́
я прихожу́ мы прихо́дим ты прихо́дишь вы прихо́дите он/она́ прихо́дит они прихо́дят	———
я бу́ду мы бу́дем ты бу́дешь вы бу́дете + приходи́ть он/она́ бу́дет они бу́дут	я приду́ мы придём ты придёшь вы придёте он/она придёт они приду́т

Ра́ньше А́лекс рабо́тал в ба́ре.
Он всегда́ **приходи́л** домо́й по́здно.

Сейча́с А́лекс рабо́тает в ба́нке.
Он **прихо́дит** домо́й ра́но.

Мо́жно я **бу́ду приходи́ть** к вам у́жинать?

Откро́йте дверь! Го́сти **пришли́**!

Алло́! У́жин гото́в? Я ско́ро **приду́**.

ПРИЕЗЖА́ТЬ	ПРИЕ́ХАТЬ

приезжа́л/а/о/и	прие́хал/а/о/и
я приезжа́ю мы приезжа́ем ты приезжа́ешь вы приезжа́ете он/она́ приезжа́ет они приезжа́ют	———
я бу́ду мы бу́дем ты бу́дешь вы бу́дете + приезжа́ть он/она́ бу́дет они бу́дут	я прие́ду мы прие́дем ты прие́дешь вы прие́дете он/она́ прие́дет они прие́дут

Ра́ньше тури́сты **приезжа́ли** в Ленингра́д.
Сейча́с тури́сты **приезжа́ют** в Санкт-Петербу́рг.
Тури́сты всегда́ **бу́дут приезжа́ть** в го́род на Неве́.

Я **прие́хал** из Герма́нии.

Я ско́ро **прие́ду**!

1 Выбира́йте и пиши́те префи́ксы при-/у-/в-/вы-/пере-/за-.

Моде́ль: Все хотя́т ....**е́хать** в Москву́, поэ́тому кварти́ры там о́чень дороги́е.   ⇨
Все хотя́т **перее́хать** в Москву́, поэ́тому кварти́ры там о́чень дороги́е.

1. Пого́да была́ ужа́сная, и тури́сты 3 дня не ....ходи́ли из гости́ницы.
2. Я ....йду́ от тебя́, потому́ что ты меня́ не понима́ешь!
3. Я могу́ встре́тить тебя́ в аэропорту́. Во ско́лько ты ....лета́ешь?
4. Здесь сли́шком хо́лодно, я хочу́ ....е́хать на юг!
5. Пти́ца ....лете́ла в окно́ и не мо́жет ....лете́ть из ко́мнаты.
6. На́до по доро́ге ....е́хать в суперма́ркет и купи́ть проду́кты.
7. Почему́ на экза́мене нельзя́ ....ходи́ть в туале́т?
8. Вы хоти́те ....е́хать жить в другу́ю страну́?

НСВ: РЕГУЛЯРНЫЙ ПРОЦЕСС

2 **ЧИТАЙТЕ ТЕКСТ И ПИШИТЕ** -ходить/-йти с ПРЕФИКСАМИ
при-/у-/в(о)-/вы-/за-.

Ра́ньше А́лекс был жена́т. Он о́чень люби́л свою́ жену́, но ещё бо́льше он люби́л свою́ рабо́ту. Ка́ждое у́тро он ра́но у................................. на рабо́ту и сиде́л в о́фисе весь день, обы́чно не вы................................. да́же на обе́д. Иногда́ он при................................. домо́й в 9 ве́чера, а иногда́ о́чень устава́л на рабо́те и по доро́ге домо́й вме́сте с колле́гами за................................. в бар. Тогда́ он при................................. домо́й то́лько в по́лночь. Когда́ он в................................. в кварти́ру, жена́ обы́чно у................................. на ку́хню и не разгова́ривала с ним. Одна́жды А́лекс при................................. у́тром. Он ти́хо во................................. в кварти́ру и уви́дел, что жены́ нет. Он по́нял, что она́ у................................. от него́.

Сейча́с А́лекс живёт оди́н. Он у................................. из до́ма и при................................. домо́й когда́ хо́чет. Он не уме́ет гото́вить, поэ́тому ка́ждый ве́чер за................................. в кафе́. Иногда́ к нему́ домо́й при................................. колле́ги и они́ вме́сте отдыха́ют. Вы ду́маете, он рад? Нет, он не хо́чет жить оди́н. А́лекс по́нял, что он был непра́в. Он мечта́ет сно́ва жени́ться и люби́ть жену́ бо́льше, чем рабо́ту.

Е́сли А́лекс найдёт но́вую де́вушку, он бу́дет ра́но при................................. домо́й, он не бу́дет за................................. в бар с колле́гами, а друзья́ бу́дут при................................. к ним в го́сти. Они́ бу́дут бо́льше отдыха́ть вме́сте, и тогда́ жена́ не у................................. от него́.

 СЛУШАЙТЕ И ПРОВЕРЯЙТЕ. ПОЧЕМУ ОТ АЛЕКСА УШЛА ЖЕНА? КТО БЫЛ ПРАВ: ОН ИЛИ ОНА? КАК ДОЛЖНА ЖИТЬ ХОРОШАЯ СЕМЬЯ? РАССКАЖИТЕ.

  ТВ42

СВ: РЕЗУЛЬТАТ

Моде́ль:
— Здра́вствуйте! Том до́ма?
— Его́ нет, он **ушёл**.

2. Помоги́те!
   Я не могу́ вы................................. из ли́фта!

1. — Алло́! Ты на рабо́те?
   — Нет, я уже́ при......................... домо́й.

3. — У меня́ боли́т голова́.
   Мо́жешь за............................... в апте́ку?
   — Ла́дно, я за............................... .

4. Оди́н раз Ко́ля е́хал на
   велосипе́де и в...............................
   пря́мо в де́рево.

5. Я не могу́ у............................... из клу́ба.
   Я хочу́ танцева́ть!

6. Ой! Помоги́те мне
   в............................... в гара́ж!

7. — Алло́! Ты взял мои́ ключи́?
   — То́чно не зна́ю. Сейча́с посмотрю́.
   Да, я!
   — Что же де́лать? Я не могу́
   вы............................... из до́ма!

8. — Ты где был но́чью?
   — Как где? До́ма.
   — Непра́вда!
   Ты при............................... то́лько
   у́тром!

9. — Алло́, ты ещё отдыха́ешь на мо́ре?
   — К сожале́нию, нет. Я при.............................
   вчера́ ве́чером.
   — Как отдохну́л?
   — Спаси́бо, отли́чно!

10. — Где наш кот?
    — Мо́жет бы́ть, он у............................. ,
    когда́ я открыва́ла дверь?
    — Кис-кис-кис!

  НСВ или СВ?

1. При-

— А Дед Моро́з за́втра ....?
— Коне́чно, он .... Ты же хоро́ший ма́льчик. Дед Моро́з всегда́
.... к хоро́шим де́тям. По́мнишь, в про́шлом году́ он ....
и подари́л тебе́ большо́й констру́ктор.
— Мам, а почему́ он .... то́лько к де́тям? Взро́слые плохи́е?

2. У-

— Почему́ ты пла́чешь, А́ня?
— Мой па́рень .... от меня́.
— Как ....?! Почему́?
— Он сказа́л, что бо́льше не лю́бит меня́.
— Я не ве́рю ему́. Он уже́ 3 ра́за ....

3. При-

— Алло́! Ка́жется, я сего́дня не ....!
— Почему́? Ты опозда́л на самолёт?
— Е́сли бы! В Пари́же забасто́вка. Самолёт не мо́жет вы́лететь.
— О, бо́же! Ох, уж э́ти францу́зы!

4. При-

— Алло́! Ты где? Самолёт .... 2 часа́ наза́д!
— Я уже́ здесь, но мой бага́ж не ....
— Ла́дно, э́то не пробле́ма. Бага́ж пото́м .... Я жду тебя́ у вы́хода!

 СЛУШАЙТЕ И ПРОВЕРЯЙТЕ.

ТВ43

ВОПРОСЫ

	Nom.	Gen.	Dat.	Accus.	Instr.	Prep.
🧍	кто	кого́	кому́	кого́	(с) кем	(о) ком
🎁	что	чего́	чему́	что	(с) чем	(о) чём

🏠 отку́да   куда́   где

🕐 когда́   во ско́лько

⚖️ ско́лько

как   како́й (24 фо́рмы)
чей (24 фо́рмы)
почему   заче́м

---

1 СПРА́ШИВАЙТЕ ЧТО ХОТИ́ТЕ И ОТВЕЧА́ЙТЕ (МИ́НИМУМ **10** ВОПРО́СОВ).

2 ПИШИ́ТЕ ВОПРО́СЫ.

Кто?

............У кого́?............ с ....? для ....? к ....?

над ....? от ....? о ....? без ....?

Что?

............На чём?............ для ....? с ....? без ....?

о ....? над ....?

3 ПИШИ́ТЕ ВОПРО́СЫ.

............Кто?............ — балери́на   .... — балери́ну   .... — балери́ной
.... — балери́ны   .... — балери́не   .... — о балери́не

.... — музыка́нт   .... — музыка́нту   .... — о музыка́нте
.... — музыка́нта   .... — музыка́нтом   .... — у музыка́нта

.... — друзья́   .... — друзья́ми   .... — друзе́й
.... — друзья́м   .... — для друзе́й   .... — о друзья́х

4 Пишите вопросы.

m.	f.	pl.
Какой? красивый	.... красивая	.... красивые
.... красивому	.... красивой	.... красивых
.... красивого	.... красивую	.... красивым
.... в красивом		.... красивыми
.... с красивым		

 5 Пишите вопросы.

.... — в Европе	.... — в Америку	.... — из Африки
.... — в среду	.... — 2 часа	.... — в 3 часа
.... — быстро	.... — туристка	.... — твой
.... — другу	.... — большая	.... — с сыром
.... — новую	.... — денег	.... — мою
.... — о спорте	.... — инженером	.... — чтобы жить
.... — у меня	.... — обо мне	.... — людей
.... — с братом	.... — с концерта	.... — от друга
.... — к врачу	.... — для работы	.... — над домом

СМОТРЯ + ЧТО, ...

> — Хочешь поехать на море?

	смотря	кто / кого / кому / с кем / о ком
	смотря	где / куда / откуда
	смотря	когда / во сколько
	смотря	почему
	смотря	зачем

– **смотря куда**	=	зависит от места
– **смотря когда**	=	зависит от времени
– **смотря с кем**	=	зависит от компании
– **смотря зачем**	=	зависит от цели

ЗАВИСЕТЬ ОТ + GEN.

153

6  СПРАШИВАЙТЕ И ОТВЕЧАЙТЕ. А ТЕПЕРЬ ПИШИТЕ ВСЕ ВАРИАНТЫ.

Модель:
— Вы хотите поехать в отпуск?
— Смотря когда / Смотря куда / Смотря с кем / Смотря на чём.

Вы любите читать?

....

Вы хотите купить дом?

....

Вы умеете готовить?

....

У вас есть деньги?

....

Вы любите спорт?

....

Вы любите музыку?

....

Вы помогаете людям?

....

Вы хотите эмигрировать?

....

Хочешь пойти в кино?

....

Хочешь пиццу?

....

Вы любите блины?

....

Хочешь поехать на море?

....

Ты любишь отдыхать?

....

Вы любите людей?

....

Вы любите туристов?

....

У вас завтра есть время?

....

МНОГО, МАЛО + ГДЕ, ...

мно́го		кто	кого́	кому́	(с) кем	(о) ком
	+		чего́	чему́	(с) чем	(о) чём
ма́ло		где	куда́	отку́да		

Том **мно́го с кем** дру́жит.
У него́ мно́го друзе́й.

Са́ра **ма́ло с кем** дру́жит.
У неё ма́ло друзе́й.

Лео́н **ни с кем не́** дру́жит.
Он лю́бит быть оди́н.

7 **Они много путешествовали? Где они были?**

Джеймс **мно́го где** был.
Он дипломáт и мно́го
éздит.

Ла́ура **ма́ло где** была́.
Она́ студе́нтка.

Ва́ся **нигде́ не́** был.
Он лю́бит отдыха́ть до́ма.

У меня́ большо́й о́пыт. Я **мно́го где** и **кем** рабо́тал.
Артём — молодо́й специали́ст, он ещё **ма́ло где** рабо́тал.
Алекса́ндр — журнали́ст, он **мно́го где** был и мно́го ви́дел.

мно́го где	ма́ло люде́й
мно́го куда́	у мно́гих люде́й
ма́ло кого́	со мно́гими людьми́
мно́го кому́	во мно́гих стра́нах
мно́го у кого́	о мно́гих веща́х
мно́го с кем	мно́го веще́й
мно́го чего́	во мно́гие стра́ны
мно́го о чём	мно́гим лю́дям

8 **ОТВЕЧАЙТЕ НА ВОПРОСЫ СО СЛОВАМИ МНОГО ИЛИ МАЛО.**

Модель: — Кого́ вы лю́бите?
— Мно́го кого́.

Где вы рабо́тали?
....

Куда́ вы хоти́те пое́хать?
....

С кем вы дру́жите?
....

Кому́ вы ве́рите?
....

Кого́ вы слу́шаете?
....

У кого́ есть дипло́м?
....

Кому́ вы помога́ете?
....

Чем вы интересу́етесь?
....

О чём вы ду́маете?
....

На чём вы игра́ете?
....

ЧТО? ➡ мно́го
ма́ло
ни-

9 **Модель:**
— Что вы лю́бите?
— **Мно́го чего́. / Ма́ло чего́./ Ничего́.**

Что у вас есть?
— ....

Что вы хоти́те купи́ть?
— ....

Что вы еди́те?
— ....

Что вы зна́ете?
— ....

Что вы хоти́те прода́ть?
— ....

Что вы чита́ли?
— ....

НИ-

никто́	никого́	никому́	никого́	ни с кем	ни о ком
ничто́	ничего́	ничему́	ничего́ !	ни с чем	ни о чём

нигде́	никуда́	ниотку́да	никогда́	ниско́лько
ника́к	никако́й	ниче́й		
	(24 фо́рмы)	(24 фо́рмы)		

10   **ОТВЕЧАЙТЕ НА ВОПРОСЫ НЕГАТИВНО.**

Модель:
— Кто лю́бит плати́ть нало́ги?
— **Ни́кто** не лю́бит.

Куда́ ты смо́тришь?
— .... Я про́сто ду́маю.

Отку́да вы прие́хали?
— .... Я здесь роди́лся.

На чём вы игра́ете?
— .... У меня́ нет слу́ха.

Как зарабо́тать миллиа́рд?
— .... Э́то нереа́льно!

Кому́ вы даёте де́ньги?
— .... У меня́ нет де́нег.

Чем вы занима́етесь в свобо́дное вре́мя?
— .... Я всё вре́мя рабо́таю.

О чём вы мечта́ете?
— .... Я прагма́тик.

С кем вы разгова́риваете?
— .... Здесь никто́ не говори́т по-ру́сски.

Для чего́ вы изуча́ете языки́?
— .... Э́то про́сто хо́бби.

В како́м году́ вы бы́ли в Москве́?
— .... Я там ещё не был.

У кого́ есть хоро́ший план?
— .... Никто́ не зна́ет, что де́лать.

Где хорошо́ жить?

— .... Хорошо́ там, где нас нет.

Из како́й кни́ги э́ти слова́?

— .... Э́то я написа́л.

В каки́х города́х вы бы́ли?

— .... Я всю жизнь жил в дере́вне.

К кому́ вы хо́дите в го́сти?

— .... Меня́ никто́ не приглаша́ет.

Каки́м спо́ртом вы занима́етесь?

— .... Я чита́л, что спорт — э́то вре́дно.

О како́й рабо́те вы мечта́ете?

— .... Я мечта́ю о пе́нсии.

 ОТВЕЧА́ЙТЕ НА ВОПРОСЫ.

- Вы ча́сто спо́рите? С кем? О чём?
- Вы зна́ете люде́й, кото́рые никогда́ не спо́рят? Они́ вам нра́вятся?
- Что лу́чше: спо́рить и́ли молча́ть?

 ЧИТА́ЙТЕ ТЕКСТ.

Как жить 100 лет

Оди́н журнали́ст получи́л зада́ние взять интервью́ у челове́ка, кото́рому бы́ло 100 лет. Журнали́ст прие́хал к нему́ и на́чал спра́шивать. Он о́чень хоте́л узна́ть секре́т, как жить до́лго. Стари́к отве́тил, что секре́т его́ до́лгой жи́зни о́чень просто́й: он никогда́ ни с кем не спо́рит. Журнали́ст ему́ не пове́рил.

— Э́то пра́вда, что вы никогда́ ни с кем не спо́рили?

— Да, э́то пра́вда.

— Ни с кем ни с кем?

— Абсолю́тно ни с кем!

— И да́же с жено́й?

— Да́же с жено́й.

— Да́же с детьми́?

— И с детьми́.

— Ни ра́зу?!

— Да, ни ра́зу!

— Никогда́, ни с кем и ни о чём?

— Ну да, никогда́.

— Но э́то невозмо́жно!

— Ну хорошо́, невозмо́жно. Дава́йте лу́чше пить чай!

 ЧТО НУ́ЖНО ДЕ́ЛАТЬ, ЧТО́БЫ ЖИТЬ 100 ЛЕТ? А ВЫ ХОТИ́ТЕ ЖИТЬ 100 ЛЕТ? ПОЧЕМУ́?

ЧИТАЙТЕ ИСТОРИЮ И ЗАДАВАЙТЕ ВОПРОСЫ.

Модель: на по́чту — куда́?

До́брое де́ло

Одна́жды **на по́чту** пришло́ письмо́. **На конве́рте** не́ было **а́дреса**, а то́лько слова́: «**Де́ду Моро́зу!**» Почтальо́ны не зна́ли, что де́лать **с письмо́м**, но пото́м реши́ли откры́ть **его́** и прочита́ть.

Почтальо́ны прочита́ли **э́то** письмо́ и на́чали ду́мать, что де́лать. **У них** бы́ли **свой** де́ти, кото́рые то́же о́чень жда́ли пода́рки **от Де́да Моро́за**. Поэ́тому они́ **хорошо́** понима́ли, как э́то **ва́жно для** ма́ленького **ма́льчика**. Почтальо́ны реши́ли помо́чь **бе́дному ребёнку**. **У них** бы́ло **ма́ло де́нег**, поэ́тому **они́** купи́ли то́лько пальто́ и **боти́нки**, а пото́м посла́ли **их** ма́льчику.

Через ме́сяц на по́чту пришло́ ещё одно́ письмо́ **от Са́ши**. **Все** бы́ли о́чень ра́ды, когда́ получи́ли **его́**. Они́ откры́ли конве́рт и прочита́ли:

Дорого́й Де́душка Моро́з!

Меня́ зову́т **Са́ша**. Мне 7 лет, и я уже́ хожу́ **в шко́лу**. **Моя́** ма́ма о́чень бе́дная, и **у неё** нет **де́нег**, что́бы купи́ть мне **но́вую** тёплую оде́жду. Я ча́сто смотрю́ **в окно́**, как **други́е** де́ти гуля́ют **на у́лице**. Я то́же о́чень хочу́ игра́ть **с ни́ми**.

Де́душка Моро́з, я прошу́ **тебя́** подари́ть **мне** на Но́вый год ша́пку, пальто́ и **тёплые** боти́нки. Я зна́ю, что **ты** о́чень **до́брый** и лю́бишь **дете́й**.

Спаси́бо тебе́!
Са́ша

Спаси́бо **тебе́** большо́е, Де́душка Моро́з!
Как я и проси́л, я получи́л **от тебя́** но́вое **пальто́** и **тёплые** боти́нки, а ша́пку, наве́рное, **почтальо́ны** укра́ли!

 СПРАШИВАЙТЕ (МИНИМУМ **20** ВОПРОСОВ) И ОТВЕЧАЙТЕ. СМОТРИТЕ СТРАНИЦУ 152.

ПИШЕМ ОТВЕТ ПОЧТАЛЬОНОВ СА́ШЕ.

ПРИЛОЖЕНИЯ

Таблица 1. Падежные формы существительных

		m.	**n.**	**f.**	**Pl.**
Nom. Кто? Что?	субъект	друг -Ø гость -ь комментарий -ий	слово -O море -Е	женá -А семья́ -Я Россия -ия жизнь -ь	-ы туристы -И гости семьи комментарии
Gen. Кого́? Чего́?	у, для, до, после, без, кроме, вместо, около **Откуда?** из / с, от **Сколько?** 2.../5... много, мало, нет **Чей?**	дрýга -А гóстя -Я комментáрия -я	слóва -А мóря -Я	жены -Ы семьи́ -И России -и жизни -и	жёны -A словá -ОВ туристов гостéй семéй морéй -Ø словØ комментáриев -ЕВ жёнØ
Dat. Комý? Чемý?	адресáт к → по	дрýгу -у гóстю -ю комментáрию -ю	слóву -у мóрю -ю	женé -Е семьé -Е России -и жизни -и	турúстам -АМ жёнам -АМ гостя́м -ЯМ моря́м -ЯМ комментáриям -ЯМ
Accus. Кого́? Что?	объéкт **Куда́?** в / на → 🏠	← = Gen. дрýга -А гóстя -Я ■ = Nom. фильм -Ø комментáрий	= Nom. слóво -O мóре -Е	женý -У семью́ -Ю Россию -ю жизнь -ь	←← = Gen. турúстов жёнØ ■ = Nom. фúльмы словá моря́ комментáрии
Instr. Кем? Чем?	с, перед, за, под, над, мéжду, рядом с	дрýгом -ОМ гóстем -ЕМ комментáрием -ЕМ	слóвом -ОМ мóрем -ЕМ	женóй -ОЙ Россией -ЕЙ / семьёй -ЕЙ жизнью -О	турúстами -АМИ словáми -АМИ гостя́ми -ЯМИ моря́ми -ЯМИ комментáриями -ЯМИ
Prep. (О) ком? (О) чём?	**Где?** в / на 🏠 о	в Милáне -Е о дрýге о гóсте в комментáрии -и	в слóве -Е на мóре в задáнии -и	о женé -Е в семьé в России -и в жизни -и	о турúстах -АХ словáх -АХ в гостя́х -ЯХ в гостя́х -ЯХ в комментáриях

Таблица 2. Падежные формы прилагательных и существительных

		m. Adj.	m. Noun	n. Adj.	n. Noun	f. Adj.	f. Noun	Pl. Adj.	Pl. Noun
Nom. Кто? Что?	субъект	-ЫЙ -ИЙ -ОЙ	-Ø -Ь	-ОЕ -ЕЕ	-О -Е	-АЯ -ЯЯ	-А -Я -Ь	-ЫЕ -ИЕ	-Ы -И -А / -Я
		нОвЫЙ друг		ЧёрнОЕ мОрЕ		молодАя женА		богатЫЕ туристЫ	
Gen. Кого? Чего?	у, для, до, после, без, кроме, вместо, около **Откуда?** из / с, от **Сколько?** 2.../5... много, мало, нет **Чей?**	-ОГО -ЕГО	-А -Я	-ОГО -ЕГО	-А -Я	-ОЙ -ЕЙ	-Ы -И	-ЫХ -ИХ	-ОВ -Ø -ЕЙ
		нОвОГО другА		ЧёрнОГО мОря		молодОЙ женЫ		богатЫХ туристОВ нОвЫХ друзЕЙ	
Dat. Кому? Чему?	адресат к → по	-ОМУ -ЕМУ	-У -Ю	-ОМУ -ЕМУ	-У -Ю	-ОЙ -ЕЙ	-Е -И	-ЫМ -ИМ	-АМ -ЯМ
		нОвОМУ другУ		к ЧёрнОМУ мОрЮ		молодОЙ женЕ		богатЫМ туристАМ	
Accus. Кого? Что?	объект **Куда?** в / на →	↑ = Gen. нОвОГО другА ■ = Nom. нОвЫЙ фильм		■ = Nom. ЧёрнОЕ мОрЕ		-УЮ -ЮЮ	-У -Ю -Ь	↑ = Gen. богатЫХ туристОВ ■ = Nom. нОвЫЕ фильмЫ	
						молодУЮ женУ			
Instr. Кем? Чем?	с, перед, за, под, над, между, рядом с	-ЫМ -ИМ	-ОМ -ЕМ	-ЫМ -ИМ	-ОМ -ЕМ	-ОЙ -ЕЙ	-ОЙ -ЕЙ / -ЕЙ -ЬЮ	-ЫМИ -ИМИ	-АМИ -ЯМИ
		с нОвЫМ другОМ		ЧёрнЫМ мОрЕМ		молодОЙ женОЙ		богатЫМИ туристАМИ	
Prep. (О) ком? (О) чём?	в / на о	-ОМ -ЕМ	-Е -И	-ОМ -ЕМ	-Е -И	-ОЙ -ЕЙ	-Е -И	-ЫХ -ИХ	-АХ -ЯХ
		о нОвОМ другЕ		на ЧёрнОМ мОрЕ		о молодОЙ женЕ		о богатЫХ туристАХ	

Таблица 3. Падежные формы личных местоимений

Nom.	Я	Ты	Он / оно́	Она́	Мы	Вы	Они́
Gen.	меня́	тебя́	(н)его́	(н)её	нас	вас	(н)их
Dat.	мне	тебе́	(н)ему́	(н)ей	нам	вам	(н)им
Accus.	меня́	тебя́	его́	её	нас	вас	их
Instr.	мной	тобо́й	(н)им	(н)ей	на́ми	ва́ми	(н)и́ми
Prep.	обо мне́	о тебе́	о нём	о ней	о нас	о вас	о них

Таблица 4. Падежные формы притяжательных местоимений

Nom.	мой твой наш ваш	моё твоё на́ше ва́ше	моя́ твоя́ на́ша ва́ша	мои́ твои́ на́ши ва́ши	
Gen.	моего́ твоего́ на́шего ва́шего		мое́й твое́й на́шей ва́шей	мои́х твои́х на́ших ва́ших	ЕГО́
Dat.	моему́ твоему́ на́шему ва́шему		= Gen.	мои́м твои́м на́шим ва́шим	ЕЁ
Accus.	♦ = Gen. ■ = Nom.	■ = Nom.	мою́ твою́ на́шу ва́шу	♦♦ = Gen. ■ ■ = Nom.	
Instr.	мои́м твои́м на́шим ва́шим		= Gen.	мои́ми твои́ми на́шими ва́шими	ИХ
Prep.	о моём о твоём о на́шем о ва́шем		о мое́й о твое́й о на́шей о ва́шей	о мои́х о твои́х о на́ших о ва́ших	

Таблица 5. Числительные

1 оди́н/одна́/одно́/одни́	**11** оди́ннадцать	**10** де́сять	**100** сто
2 два/две	**12** двена́дцать	**20** два́дцать	**200** две́сти
3 три	**13** трина́дцать	**30** три́дцать	**300** три́ста
4 четы́ре	**14** четы́рнадцать	**40** со́рок	**400** четы́реста
5 пять	**15** пятна́дцать	**50** пятьдеся́т	**500** пятьсо́т
6 шесть	**16** шестна́дцать	**60** шестьдеся́т	**600** шестьсо́т
7 семь	**17** семна́дцать	**70** се́мьдесят	**700** семьсо́т
8 во́семь	**18** восемна́дцать	**80** во́семьдесят	**800** восемьсо́т
9 де́вять	**19** девятна́дцать	**90** девяно́сто	**900** девятьсо́т
10 де́сять	**20** два́дцать	**100** сто	**1000** ты́сяча

1000 ты́сяча	**1 000 000** миллио́н
2000 две ты́сячи	**2 000 000** два миллио́на
5000 пять ты́сяч	**5 000 000** пять миллио́нов

1 пе́рвый	**6** шесто́й	**20** двадца́тый	**70** семидеся́тый
2 второ́й	**7** седьмо́й	**30** тридца́тый	**80** восьмидеся́тый
3 тре́тий	**8** восьмо́й	**40** сороково́й	**90** девяно́стый
4 четвёртый	**9** девя́тый	**50** пятидеся́тый	**95** девяно́сто пя́тый
5 пя́тый	**10** деся́тый	**60** шестидеся́тый	**2010** две ты́сячи деся́тый

Таблица 6. Когда́?

В како́м году́?

1996 В ты́сяча девятьсо́т девяно́сто шесто́м году́.

2008 В две ты́сячи восьмо́м году́.

2025 В две ты́сячи два́дцать пя́том году́.

Како́го числа́?

07.01.2020 Седьмо́го января́ две ты́сячи двадца́того го́да.

02.09.1971 Второ́го сентября́ ты́сяча девятьсо́т се́мьдесят пе́рвого го́да.

вчера́	сего́дня	за́втра
ра́ньше	сейча́с	пото́м / ско́ро
неде́лю / ме́сяц / год наза́д		через неде́лю / ме́сяц / год
в про́шлый четве́рг	в э́тот четве́рг	в сле́дующий четве́рг
в про́шлую суббо́ту	в э́ту суббо́ту	в сле́дующую суббо́ту
на про́шлой неде́ле	на э́той неде́ле	на сле́дующей неде́ле
в про́шлом ме́сяце	в э́том ме́сяце	в сле́дующем ме́сяце
в про́шлом году́	в э́том году́	в сле́дующем году́

Рекомендации для преподавателей

Уважаемые коллеги!

Сердечно благодарим за выбор нового «Поехали!». Надеемся, вы подружитесь и он станет вам добрым помощником. Мы получили большое удовольствие в процессе работы над книгой и верим, что вы получите не меньшее от работы с ней. Большинство трудностей, неизбежных в начале курса русского языка как иностранного, мы также постарались предусмотреть и по возможности предотвратить. Мы ни в чём не облегчали задачу себе, но постарались максимально облегчить вашу.

Для каких условий преподавания предназначен этот курс? Он написан на основе богатого опыта работы авторов в условиях как интенсива в частной языковой школе в языковой среде, так и обучения студентов европейских университетов вне языковой среды. В процессе апробации авторы успешно использовали новый «Поехали!» и для онлайн-курсов по скайпу. Наилучшие результаты курс даёт при обучении студентов — носителей европейского (в широком смысле) языка, менталитета и культурного багажа, но может вполне успешно, как и старый «Поехали!», использоваться в других культурно-языковых ареалах.

Возможно, вы взяли в руки новый «Поехали!», потому что вам нравился старый учебник. **Насколько курс изменился?** Спешим вас успокоить: курс сохранил многие черты, полюбившиеся преподавателям и студен-

там в ставшем уже классическим варианте: и семью Дубовых с их другом Свеном, и ориентацию на современный живой разговорный язык, но без уклона в сленг и просторечие, и сочетание коммуникативности (как мы её понимаем) с грамматической полнотой и академической строгостью в описании грамматической системы. Мы по-прежнему придерживаемся последовательности предъявления грамматики, основанной на чередовании глагольных и падежных тем. Как показала многолетняя практика, это позволяет учащимся двигаться вперёд достаточно быстро, не путая при этом недавно изученные формы и окончания. Сохранился важный для методики принцип преемственности: практически каждый следующий урок предполагает использование и повторение материала предыдущего.

Учебник покрывает **уровни A1—A2**, на них ориентирован объём грамматического и лексического материала. В то же время ради подготовки учащегося к реальному общению с носителями языка в аутентичных ситуациях нами были допущены некоторые **отступления** от стандартных требований ТРКИ.

Коммуникативность — тема, заслуживающая отдельного разговора. Мы не верим в одну таблетку от всех болезней и не считаем, что все приёмы, работающие при изучении, скажем, английского языка, можно в неизменном виде перенести в преподавание русского языка как иностранного. «Аграмматический» подход, по нашему мнению, в РКИ для взрослых недостаточно эффективен. Соответственно, под коммуникативностью метода мы понимаем не отказ от грамматического принципа построения курса и последовательного усвоения грамматических моделей, а в первую очередь отбор коммуникативно значимого грамматического и лексического материала, постоянные выходы в спонтанную речь в процессе его отработки, создание на уроке ситуаций, максимально близких к ситуациям реального общения. Ведь как для возникновения электрического тока необходима разница потенциалов, так и для рождения настоящей живой коммуникации важна или разница в степени информированности между участниками общения, или различие взглядов, или даже конфликт интересов. Часто встречающийся на уроках пересказ выученных дома текстовых фрагментов или диалогов от этого бесконечно далёк.

Несмотря на переваливший уже за четверть века опыт преподавания, мы прекрасно помним, как трудно было начинать работать в аудитории. Мы приложили максимум усилий, чтобы наша книга помогла даже неопытному преподавателю провести хороший курс, поддержать мотивацию у студентов, избежать серьёзных ошибок и добиться высоких результатов. Мы стремились помочь и преподавателям и студентам успешно преодолеть стартовую, самую непростую, часть пути к овладению русским языком, поэтому постарались сделать сложное простым, представить материал в лёгкой и запоминающейся форме, не жертвуя ни лингвистической добросовестностью, ни полнотой презентации системы языка. Ниже мы постараемся изложить **своё видение некоторых основных проблем**, стоящих перед преподавателем и студентами на начальном этапе обучения, и те решения, которые мы стремились воплотить в данном курсе.

▪ Одна из первоочередных задач всякого курса для начинающих — **снять стресс и уменьшить страх** перед изучением русского языка, имеющего репутацию весьма сложного и экзотического. Одним из частных способов решения этой задачи является активное использование, начиная с первого урока, интернационализмов, понятных по-

сле небольшой тренировки носителям большинства европейских языков или людям, эти языки изучавшим.

▪ Не менее важная и более амбициозная задача — постоянно **поддерживать высокий уровень мотивации** к обучению. Необходимыми условиями выполнения этой задачи являются отсутствие слишком сложных заданий, подрывающих веру студента в свои способности, и постоянная связь изучаемого материала с собственной жизнью и личным опытом студента. Мы постарались все, даже довольно сложные, темы изложить просто и с яркими примерами, а также постоянно «поворачивать» задания в сторону личности студента, ведь, по словам И.С. Тургенева, «человек о многом говорит с интересом, но с аппетитом — только о себе».

▪ Третья из очевидных, но оттого не менее актуальных задач начального этапа — разговорить студентов, как можно раньше вывести изученный языковой материал в активное речевое употребление. Этому должны способствовать **«провокации»** в текстах и заданиях, вызывающие у студента желание высказаться и прокомментировать материал учебника, выразить личное отношение, а также специальные дискуссионные задания «Согласны ли вы, что...» и «Что делать, если...», хорошо зарекомендовавшие себя во 2-й части «Поехали!» (т. 2.1 и 2.2).

Разговор (на русском языке, разумеется!) в этом случае никак нельзя рассматривать как нежелательное отвлечение от урока: контролируемая практика, живое общение с выражением собственного мнения представляют собой важнейшие виды работы на занятии. Так, именно с целью сделать непростую грамматическую тему более коммуникативной было решено перенести изучение аналитической превосходной степени прилагательных в начало курса. Введение слова *самый* в изучение прилагательных позволяет значительно оживить урок, повысить вовлечённость студентов и вызвать вполне спонтанную дискуссию с употреблением изучаемого лексико-грамматического материала.

Долгие годы наблюдений за процессом изучения иностранных языков привели нас к выводу о том, что в основе занятий нередко лежит структура школьного урока: после объяснения материала учитель спрашивает, а ученики отвечают. В результате они учатся давать ответы, но не умеют задавать вопросы, а в реальном общении, особенно, например, в ситуации поездки в Россию, именно умение спрашивать является жизненно важным. Более того, известно, что задающий уточняющие вопросы человек, как правило, считается хорошим собеседником, умеющим поддерживать разговор. Поэтому **умению задавать вопросы** и его формированию уделяется достаточно много внимания.

■ Четвёртой сложностью для начинающих обычно является развитие умения не только читать, писать и говорить, но также **слушать и слышать**. В новом «Поехали!» аудиокурс выгодно отличается от аудиоприложения к старому учебнику. Теперь выполнение некоторых заданий просто невозможно без прослушивания и понимания аудиозаписей, поскольку тексты звучащих материалов не включены в урок.

■ Одной из наших целей было показать студентам внутреннюю логику и закономерности этой системы, а не просто дать им формы для запоминания. В то же время мы решили с самого начала курса приучать студентов к гибкости, **вариативности форм выражения**. Именно поэтому особое внимание уделено порядку слов в русском предложении — свободному, но далеко не вольному. Это поможет учащимся лучше ориентироваться в живой русской речи.

■ В-шестых, при подаче лексики мы стремились к **как можно более быстрому наращиванию** и пассивного и активного **словарного запаса** студента. К сожалению, их равенство недостижимо даже в родном языке: к примеру, количество понятных авторам данного пособия русских слов очевидно превосходит количество слов, которые они активно употребляют в речи. Может показаться, что некоторые уроки содержат слишком большое количество новой лексики, но её переход в активный словарный запас отнюдь не предполагается в рамках только одного урока. Новая лексика, войдя в ткань учебника, останется в ней на протяжении всего курса и периодически будет повторяться в последующих уроках вплоть до полного усвоения. Ускорению этого процесса способствуют многочисленные условно-коммуникативные задания, в которых студенты должны применить новые слова к своей собственной жизни и выразить личное отношение к стоящим за словами явлениям. Приведённые в уроках наборы слов-подсказок

в таких заданиях позволяют решить проблему недостатка фантазии, на что иногда жалуются студенты. Эти задания, по нашему опыту, служат для отработки языкового материала на уроке намного эффективнее, чем классические подстановочные упражнения. Подобный подход хорошо описан в отечественной методической литературе и, безусловно, является более продуктивным, чем простое заучивание. Мы последовательно предлагаем студентам не только запомнить слова, но и научиться их употреблять (изменять!), а также узнавать в чужой речи в изменённом виде. Студенты с самого начала готовятся порождать собственные высказывания, а не просто воспроизводить заученные. А любители заданий более традиционного вида найдут их в рабочей тетради.

Метод опережения используется в пособии очень **осторожно**. Случаи употребления словоформ, относящихся к ещё не пройденным грамматическим темам, единичны. В целом выдерживается принцип последовательного введения грамматических форм и конструкций. В текстах и заданиях могут появляться не введённые ранее лексические единицы, относящиеся к общей для многих европейских языков интернациональной лексике, так как учебник предназначен в первую очередь (но не исключительно) для студентов, владеющих одним из основных европейских языков.

■ Непростым оказался вопрос о лингвистической **терминологии** в учебнике. В своей преподавательской практике мы не употребляем «школьные» названия падежей (именительный, родительный) или порядковые номера, как принято в немецкоязычной русистике. Мы предпочитаем «интернациональные» названия падежей латинского происхождения, которые используются и в русской академической русистике, поскольку им можно придать некоторый смысл, они не так пугающе звучат для студентов, не вызывают, в отличие от номеров, вопросов о том, почему «шестой» падеж изучается намного раньше «пятого». Многим студентам эти названия могут быть знакомы из опыта изучения немецкого, латинского и других языков. Однако, поскольку некоторые преподаватели привыкли к нумерации падежей, эти номера приводятся рядом с соответствующими названиями.

■ Разумеется, среди грамматических тем наибольший интерес вызывают обычно две темы: глаголы движения и виды глагола. Четыре основных **глагола движения** (*идти, ходить, ехать, ездить*) вводятся сразу, но в ограниченном наборе наиболее частотных форм и функций: так, на этом этапе не отрабатывается употребление форм типа *шёл*. Логика, которой мы руководствовались, проста: добиться максимально правильной и естественной речи с наименьшими усилиями и без риска окончательно запутать студента.

■ Представление **видов глагола** подверглось значительной переработке. Во-первых, **категория вида** глагола вводится **и** сначала **отрабатывается на инфинитивах**. Это позволяет сразу отделить категорию вида от категории времени, с которой она часто смешивается, что, по результатам наших многолетних наблюдений, приводит к чрезмерному употреблению иностранцами глаголов совершенного вида в прошедшем времени и несовершенного вида — в будущем. В естественной речи носителей языка распределение форм происходит обратным образом.

Из первой особенности подачи вида в курсе вытекает вторая: **до введения** категории **вида** в учебнике **нет форм будущего времени**, вместо него используется характерное для современной живой речи употребление настоящего в значении близкого будущего. Это позволяет нам избежать формирования у студентов привычки к употреблению *буду* в роли универсального маркера будущего времени и появления «неистребимых» форм типа *буду посмотреть*.

Наконец, по нашим наблюдениям, традиционная форма грамматического упражнения, состоящего из отдельных предложений, зачастую плохо подходит для отработки употребления глагольного вида, поскольку данная категория требует более широкого контекста и более полного понимания ситуации. Именно поэтому в новой версии курса **большинство заданий на вид глагола** в учебнике и рабочей тетради представляют собой **микротексты или диалоги**, дающие более полное представление о ситуации и точке зрения говорящего.

■ В новом курсе мы сохранили замеченную многими преподавателями «структурную **асимметрию**» в **представлении падежей**. Если первые падежи даются

постепенно: сначала существительные в единственном числе, потом множественное число, потом прилагательные и местоимения, то к концу курса темп ускоряется и все падежные формы могут быть представлены сразу. Это связано с тем, что сначала большинству студентов нужно привыкнуть к русскому словоизменению как таковому, а обилие форм может их напугать, но со временем учащиеся привыкают к изменению окончаний и способны усвоить более разнообразные варианты. Нашей методической целью было двигаться по программе как можно быстрее, но без путаницы и потерь. В этом смысле эффективность курса и скорость достижения результатов были для нас важнее единообразия структуры уроков.

■ При первой **презентации кириллического алфавита** дан наиболее распространённый вариант латинской транслитерации, что с практической точки зрения (может пригодиться студентам при заполнении документов, поиске информации в Интернете и т. п.) представляется более оправданным, чем имитация произношения с помощью латинских букв, так как правила их чтения и передаваемые ими звуки различаются в разных языках, использующих латинский алфавит. Для выработки произношения рекомендуется прибегнуть к помощи преподавателя и воспользоваться аудиоприложением.

■ В конце начального курса вашему вниманию предлагается своеобразный бонус для студентов: последний урок включает **материалы, обычно не входящие в уровни А1–А2**. В этом уроке повторяются вопросительные слова и даются важные и частотные в разговорной речи конструкции типа *смотря куда / когда / зачем..., мало кто / где..., много чего / кому...*, которые оказываются чрезвычайно полезными для ведения диалогов и позволяют студентам избежать сложных и неестественных для русского языка конструкций вроде: *Я хочу поехать во много мест.* Надеемся, ваши студенты оценят это дополнение так же высоко, как оценили наши.

■ К курсу предусмотрены полезные **приложения**. По многочисленным просьбам новый учебник «Поехали!» снабжён **ключами** к упражнениям, которые вы найдёте в рабочей тетради. Что касается словаря в конце учебника, то мы решили отказаться от него ввиду широкой распространённости элек тронных и онлайн-словарей, а также невозможности выполнения просьб читателей добавить в одну упаковку все необходимые им языковые версии. В конце обеих частей начального курса вы найдёте **справочные грамматические таблицы**. Во второй части учебника (1.2) мы предлагаем вам также дополнительные **тексты для чтения**, одновременно представляющие собой упражнения на отработку различных грамматических тем (темы указаны перед текстами).

При работе над курсом мы постоянно имели в виду, что целью учебного процесса является изучение языка, а не учебника. Соответственно, при всём стремлении к внутренней логике и стройности мы постарались сделать так, чтобы «Поехали!» мог служить конструктором, позволяющим преподавателю построить свой собственный курс в условиях, скажем, дефицита времени на интенсиве или в открытых группах с меняющимся составом. Новый учебник, по нашему мнению, можно без большого ущерба сжать или растянуть под конкретные обстоятельства и требования программы, в том числе за счет **рабочей тетради**. В рабочей тетради вы найдёте **повторительные уроки** (после каждого десятого урока). **Аудио-приложение** также вынесено в рабочую тетрадь. Оно записано на диски, а также доступно для приобретения в виде самостоятельных файлов на сайте **www.litres.ru**.

К нам неоднократно обращались с просьбой написать книгу для учителя. Нам кажется, мы придумали нечто лучшее: мы предлагаем **онлайн-курс для преподавателей**, основанный на методических принципах, в рамках которых написан учебник. В видеосюжетах последовательно изложены рекомендации авторов, как ярко и доступно объяснить все грамматические темы, приведены доказавшие свою эффективность запоминающиеся примеры грамматических конструкций. Этот курс доступен в разных вариантах, вы можете ознакомиться с ним на сайте авторов:

www.learnrussian.ru

Наконец, мы планируем регулярно дополнять курс новыми материалами, которые будут размещаться на YouTube-канале и сайте авторов.

Ваши отзывы и предложения по улучшению курса вы можете направлять на адрес издательства «Златоуст»:

editor@zlat.spb.ru

О дальнейшем развитии курса узнавайте на сайте издательства:

www.zlat.spb.ru

Ещё раз благодарим за выбор нашей книги и желаем творческих находок, живой атмосферы на уроках, быстрого прогресса у студентов и удовольствия от работы.

Авторы

На старт… Внимание…

Поехали!

Русская клавиатура

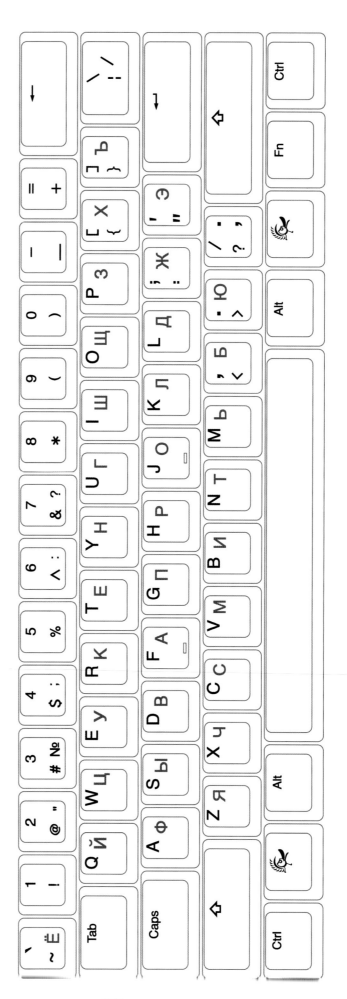

Источники иллюстраций

http://i1.ytimg.com/vi/G2-mzvyU-iI/maxresdefault.jpg
https://s3.eu-central-1.amazonaws.com/images.hipdir/33496/vzopwubkocf3qs1emotrdqyte2p8x5lf.jpg
http://www.abkhazia.pro/upload/medialibrary/7de/7de47d061eeb60acbf5b656640c484fc.png
https://cache3.youla.io/files/images/780_780/5b/11/5b115e7093800002cf0184f3.jpg
http://qafqazxeber.az/wp-content/uploads/2017/04/915a6bd4-3e06-43b3-96dd-56220cc91c17.jpg
http://www.trbimg.com/img-57cd9aac/turbine/sdut-opening-ceremony-sochi-olympics-g-2014feb07
http://letnews.ru/wp-content/uploads/2015/12/524.jpg
http://www.fotoventasdigital.com/img/metal-frame-pools/_fullsize/marvelous-intex-metal-frame-above-ground-review-above-ground-s_metal-frame-pools.jpg
https://pngimage.net/wp-content/uploads/2018/06/old-camera-png-4.png
http://img.artlebedev.ru/everything/lekalus/lekalus-girl.jpg
http://www.microrain.net/sites/www.microrain.net/files/ca_applications/application/images/Dressage.png
http://site.masaero.com.my/Clients/masaero/airline%20seat%20cover.jpg
http://pngimg.com/uploads/measure_tape/measure_tape_PNG59.png
https://www.avito.ru/moskva/mebel_i_interer/aviatsionnoe_passazhirskoe_kreslo_s_samoleta_1526241408
http://cdn.onlinewebfonts.com/svg/img_426069.png
http://cdn.onlinewebfonts.com/svg/img_556082.png
http://deepimagery.net/events/wp-content/uploads/sites/13/2017/01/25-512.png
https://banner2.kisspng.com/20180409/jrq/kisspng-cafe-restaurant-hotel-computer-icons-dinner-fork-5acbdc42107e91.6580991115233096340676.png
https://longaribus.com/en/wp-content/uploads/2017/02/longari-frigo-bar.png
http://grandpropertiescollection.com/uploads/categories/9bf569da61810599864a73e9669ac42ef2afb268.png
http://cdn.onlinewebfonts.com/svg/img_426106.png
http://santorg-lider.ru/upload/iblock/207/207b3f2a454cfe6d57a331e91e6b7477.jpg
https://image.freepik.com/icones-gratuites/personne-jacuzzi-profiter-bain-d-39-eau-chaude_318-51223.jpg
https://cdn0.iconfinder.com/data/icons/travel-hotel-camping-solid-style/91/Travel_-_hotel_-_camping_Solid_27-512.png
http://www.clipartbest.com/cliparts/dc7/LLx/dc7LLxqGi.png
http://imageog.flaticon.com/icons/png/512/472/472061.png?size=1200x630f&pad=10,10,10,10&ext=png&bg=FFFFFFFF
http://cdn.onlinewebfonts.com/svg/img_28952.png
http://cdn.onlinewebfonts.com/svg/img_528358.png
https://banner2.kisspng.com/20180527/vcy/kisspng-fitness-centre-computer-icons-hotel-villa-5b0ac659390570.9861119315274327932336.png
http://b2.static.userimages.ru/img/2/3/b/8cde7946250bba4ff9a9aff33d94c.png
https://banner2.kisspng.com/20180422/brw/kisspng-stencil-smoking-cessation-symbol-5adcab1d04d289.7262277215244111650198.png
https://image.flaticon.com/icons/png/512/189/189162.png
https://cdn3.iconfinder.com/data/icons/buildings-places/512/Hotels_A-512.png
http://littlereasonstosmile.me/wp-content/uploads/animal-shelter-logos-clipart-the-cliparts.jpg
https://keystart.roscosmos.ru/upload/product/3_1920-1440_1.jpg
http://static2.keep4u.ru/2012/10/17/672e2eb91df29052fd2ab1efc92b4cc2.png
http://dogzone.tcwebsites.netdna-cdn.com/wp-content/uploads/2017/09/bulldog-names-2.jpg
https://odysseyonline-img.rbl.ms/simage/https%3A%2F%2Faz616578.vo.msecnd.net%2Ffiles%2F2017%2F02%2F13%2F636225458112042451644850550_time-flies.gif/2000%2C2000/46JEHUfVEgRHLn70/img.gif
http://karate-lions.cz/wp-content/uploads/2013/08/Time-running.jpg
https://pp.userapi.com/c847021/v847021954/2284a/HJ_5D1Dltmc.jpg
https://1.bp.blogspot.com/-MB8TM4IUKkY/WYykX_EHmcI/AAAAAAAB91k/u77smhv1_vI-idLW4VX-FQetc6yQWAxDwCK4BGAYYCw/s1600/time-92897_1920.jpg
http://www.copiisimamici.ro/poze-galerie/banc-de-pesti.gif
http://carwad.net/sites/default/files/cartoon-person-running-122239-7600096.jpg
https://arhivurokov.ru/kopilka/uploads/user_file_58241d1ec3f5d/podvizhnyie_ighry_s_diet_mi_mladshiegho_doshkol_nogho_vozrasta_3.jpeg
https://odysseyonline-img.rbl.ms/simage/https%3A%2F%2Faz616578.vo.msecnd.net%2Ffiles%2F2016%2F09%2F24%2F6361035429521628356685168573_34.jpg/2000%2C2000/bc0XSAox6j27rNNr/img.gif
http://p2.wawalove.pl/p2.wawalove.pl/e2eb186661cd777741447a0aa9c8beea.jpg
http://www.daliskulubu.com/wp-content/uploads/2018/07/OD-diver.png
http://www.tokkoro.com/picsup/406348-horse-wallpaper-free-download.png
http://imageog.flaticon.com/icons/png/512/66/66906.png?size=1200x630f&pad=10,10,10,10&ext=png&bg=FFFFFFFF
https://hanslodge.com/images/BcgKrxe7i.png
http://nn-stories.ru/wp-content/uploads/2015/11/иллюстрации-нн14.jpg
http://mirror7.ru.indbooks.in/wp-content/uploads/2016/0200728/i_017.png
http://media.musely.com/u/63df4557-f6a0-4e22-a535-ae332385eaec.jpg
http://www.rackracki.ru/raskraski/kartiny/velikie_hudogniki/sistine_madonna.jpg
https://i.pinimg.com/originals/29/30/50/2930508c5b0f4882d2ecf2aba6e5f0bd.png
https://na-ha-ha.ru/images/info/201712/zabavnye-illyustracii-na-temu-selfi-teaser.jpg
http://www.banyaszmuvhaz.hu/elemek/1009/ftgrafika.png
http://seaah.co/wp-content/uploads/2018/06/free-drawing-and-coloring-games-unique-of-princess-pages-online-for-best-colouring-at-com-personal-preschoolers-onli.jpg
https://i.pinimg.com/originals/73/48/8b/73488b9a1052ef5de7f1f1487135da67.jpg
https://2.bp.blogspot.com/-5yda_hBT4ro/WTbzOelgtnI/AAAAAAAHGxI/f5-ae7NP1cs87e62mHnaC_dZxkdXrC7IwCLcB/s1600/Fish-PNG-15.png
http://mnc.ru/mexmat/img_mikhalev/54.jpg
https://i.artfile.me/wallpaper/08-11-2017/2560x1600/raznoe-ruki-noutbuk-1261671.jpg
http://www.dayrent.by/uploads/objects/objectPic_9891.jpg
https://cdn-s-www.republicain-lorrain.fr/images/b3295240-a793-4060-88e8-8ba4431376e2/BES_06/illustration-concert-anniversaire-jean-sebastien-bach_1-1531986095.jpg
https://avatars.mds.yandex.net/get-pdb/939428/fc6cd01b-8a3d-45d3-9bc1-18ef41fd9fb3/s1200
http://www.music-nn.ru/content/setup/pics/news/4JmsJ82zrw9dzQ5o5InEshSuH8n.jpg
http://notimeforsilence.files.wordpress.com/2016/10/napoleon_i_of_france_by_andrea_appiani.jpg?w=1280
https://www.delo.si/images/slike/2018/08/09/Dostojevski_W.jpg
https://cropper.watch.aetnd.com/cdn.watch.aetnd.com/sites/2/2018/05/GettyImages-520719995.jpg
https://mozartschildren.files.wordpress.com/2015/01/mozarts-portrait-from-mozart-family-portrait-painted-by-johann-nepomuk-della-croce-salzburg-1790-1791.jpg
https://ru.moscovery.com/wp-content/uploads/2016/04/Император-Петр-I.jpg
http://www.freakingnews.com/pictures/26000/Queen-of-England-with-a-Small-Head-26007.jpg
https://b1.culture.ru/c/685986.jpg
https://elochnye-shary.ru/all_category/shari-100-mm/snegiri-po-krugu241#menu-jakor
http://eventsinrussia.com/eventsimages/otherevent/451b798df5a27542202ba8f0aaab3569.jpg
http://zheleznovodskiy.ru/assets/images_cache/4ee0a2e9d3652918efc240dc66b0376d.jpg
http://fondserebrova.ru/wp-content/uploads/2015/09/DSC7881_30x45.jpg
https://www.tapeciarnia.pl/tapety/normalne/248522_ciastka_talerz_szyszka.jpg
http://900igr.net/up/datai/98855/0008-014-.jpg
https://avatars.mds.yandex.net/get-pdb/28866/471f277c-f468-484a-b167-a840fb27c4ba/s1200?webp=false
https://datingtalks.com/wp-content/uploads/2018/08/317_2.jpg
http://static1.gophotoweb.com/u955/1819/photos/3480968/1500-7c05272fb9a5d18197c1c190e48eaba4.jpg
http://akosarev.info/images/big/acoll_0045165_DSC_0198_w.JPG
http://img.bibo.kz/10826/10826826.JPG
https://d2v9y0dukr6mq2.cloudfront.net/video/thumbnail/BBhx86Tfioh2l7y6/the-fisherman-on-the-boat-fished-small-fish-on-a-fishing-rod_hvzl8krs__F0000.png
https://i.hurimg.com/i/hurriyet/75/770x0/57231e33c03c0e5bf8cc21de
http://whatafact.com/wp-content/uploads/2016/05/gates.jpg
https://www.thebalanceeveryday.com/thmb/Hlfg0f-zDhGkz-ygGtPZ5cuPbfc=/5124x3410/filters:fill(auto,1)/usa-new-york-city-computer-screen-showing-greenery-467179259-57d4f9d65f9b589b0ad82ac0.jpg
https://homewalldecor.us/wp-content/uploads/2016/03/wall-mounted-tv-ideas-wall-mounted-tv-designs.jpg
https://avatars.mds.yandex.net/get-pdb/38069/b60e0e08-9cb0-4688-bfb7-5e56aef31d29/s1200?webp=false
https://ae01.alicdn.com/kf/HTB1Cb9qbf5TBuNjSspcq6zuRFXaJ/-Blazer-Vest-Pants-Royal-Blue-Suit-Men-3-Piece-Business-Formal-Wedding-Suit-Wine-Red.jpg
http://www.vipdukkani.com/img/products/36273-ofis-erkekler-elbise-ayakkab-talyan-dueguen-adam-rahat-ayakkab-oxfords-elbise-ayakkab-adam-flats-deri-ayakkab-zapatos-hombre.jpg http://www.vipdukkani.com/img/products/36273-ofis-erkekler-elbise-ayakkab-talyan-dueguen-adam-rahat-ayakkab-oxfords-elbise-ayakkab-adam-flats-deri-ayakkab-zapatos-hombre.jpg
http://media.publika.md/ru/image/201709/full/1482111610_53619400.jpg
https://t-ec.bstatic.com/xdata/images/hotel/max1280x900/9977557.jpg?k=c909e28a9dc19a243935fa26c9b2bf628c0ece0a0654431c3cdafba78591d7b4&o=
http://svadba.pro/images/photos/medium/fd21c9ae175656e212fd8ea76a37af2f.jpg
https://pro-prazdniki.com/uploads/4a6397ee86299cb2dd2ff54d880b3782.jpg
https://assets.entrepreneur.com/content/3x2/2000/20180605141041-te-verde.jpeg
https://novostipmr.com/sites/default/files/filefield_paths/kaliningrad-68689-8347472.jpg
https://cdn.theculturetrip.com/wp-content/uploads/2016/11/3878132582_7ed5db1fe8_o.jpg
https://i.ytimg.com/vi/PH5D6hMiYVQ/maxresdefault.jpg
https://i1.photocentra.com/images/main54/546081_main.jpg
https://eao24.ru/wp-content/uploads/2018/04/auto_01-380_93114_83dc851d_orig.jpg
https://files2.geometria.ru/pics/original/054/462/54462365.jpg
http://irkutsk.siss.ru/uploads/firm/gallery/140039/153297/medium.jpg?_=2409631551
https://ds04.infourok.ru/uploads/ex/1150/0009d54f-8ef61ae5/img1.jpg
http://on-desktop.com/ru/images/wp.php?path=/wps/3D-graphics_Petropavlovsk-Kamchatsky_094287_.jpg&wp=17
https://www.g2planet.com/hubfs/Holiday%20Emails.png?t=1535307258718

171

http://созвездиефеникс.рф/wp-content/uploads/2018/08/K-sotszashhite-5.jpg
http://3lq1ku40fh612q5lii5rfl0n.wpengine.netdna-cdn.com/wp-content/uploads/cms/apimage/23/ap_ef403bf2ded73d16770f6a7067008ae1.jpg
https://i.ytimg.com/vi/yjLIft2El14/maxresdefault.jpg
https://wallpapersdsc.net/wp-content/uploads/2015/11/Ice_Cream_HD_Wallpapers2.jpg
https://www.andys.md/kcfinder/upload/images/post_bors_.png
http://cdnd5x.arora.pro/upload/5178d478-4cec-4a1f-a25f-8bf650b8ff32/original/01f94520-cf39-4c20-840c-0f404ca19e06.jpg
https://наша-пицца.рф/upload/iblock/4f1/4f19dd386f179dbaa65a419c88f207d6.jpg
https://i.eurosport.com/2016/12/05/1982018-41635854-1600-900.jpg
https://www.cestovinky.cz/sites/default/files/images/50/lake_moraine.jpg
https://www.kadolog.com/sites/default/files/field/image/thumbnail.jpg
https://blog.doctordoug.com/wp-content/uploads/2013/09/dog-big-ears.jpg
http://www.oncocenter-israel.com/wp-content/uploads/2015/09/Vozmozhnye-posledstvija.jpg
https://fromlife.net/wp-content/uploads/2018/09/lechenie-kompressionnogo-pereloma-pozvonochnika-u-pozhilyx-lyudej-1024x683.jpg
https://sinuslifting.ru/wp-content/uploads/2017/03/zubnaya-bol-u-muzhchiny.jpg
https://www.yuga.ru/media/ae/68/sin4073__d8to81w.jpg
https://www.northwestaircon.co.uk/wp-content/uploads/rsz_cold-hands-and-feet.jpg
http://muzuch.ru/uploads/posts/2015-12/1450774741_07-1.jpg
http://file.kinema.sk/files/recenzie/20122231945//36120-5471720-5.jpg
https://dpchas.com.ua/sites/default/files/u10284/suicid_5.jpg
http://gosindex.ru/wp-content/uploads/2016/03/ulmuz-muz.jpg
http://0.m4.nz/s/techtrend2018/u/te/ch/trend2018/2017/12/o-WOMAN-GIVING-MAN-GIFT-facebook.jpg
http://www.allegroresponse.com/about/images/about/vision.jpg
https://melbournechapter.net/images/job-clipart-main-office-5.png
https://banner2.kisspng.com/20180408/cbw/kisspng-swimming-pool-computer-icons-hotel-room-campsite-billiards-5ac9a9195e8082.9255778115231654653871.jpg
https://skidka-perm.ru/images/prodacts/sourse/24/24605_holodilnik-side-by-side-daewoo-frn-x22b4cw-frn-x22b4cw.jpg
https://catalystone.com/wp-content/uploads/2014/05/134115438.jpg
https://static.al-masdar.net/uploads/2014/11/146280429.jpg
http://ramkniga.ru/img/wedding_04.jpg
http://krasaru.ru/uploads/posts/2013-06/1370608249_pricheski-dlya-devochek-8.jpg
https://spravkaru.info/files/firm_photo/nizhniynovgorod/1298068/nizhegorodskiy-kreditnyy-soyuz-10189.jpg
https://i.pinimg.com/originals/9c/1f/18/9c1f18cc636be62beb2ce92c4c3c1cb7.jpg
https://img1.goodfon.ru/original/1920x1080/3/86/bulgaria-cekim-fashion-girl-3515.jpg
http://www.admin.izum.ua/Data/GeneralImg/Article/220398/kak-vyjti-zamuzh-v-40-let.jpg
https://www.amanoconnect.com/wp-content/uploads/2015/09/CONNECT-shutterstock_60463732.jpg
https://avatars.mds.yandex.net/get-pdb/69339/845d0d0b-ed47-4a66-bc5a-0d775632e1c5/s1200
https://www.americansforthearts.org/sites/default/files/CHOSEN%20-%20Promo%201%202016%20%28live%20shows%20page%29.jpg
https://pix.avaxnews.com/avaxnews/69/76/00017669.jpeg
https://tulun.life/wp-content/uploads/2018/08/kgalsmwwpqy.jpg
https://ymimg1.b8cdn.com/uploads/car_model/3374/pictures/3255224/360_rio0001.png
https://www.kokolife.tv/wp-content/uploads/2017/07/Chanel-Presents-Its-Fall-2017-Collection-KOKOTV9.jpg
http://evagirl.ru/uploads/posts/2017-03/1489451265_839327.jpg
https://krivoe-zerkalo.ru/images/2017/2017_2/bankomat.jpg
http://questophobia.ru/images/DSC_9762.jpg
https://cdn.gdz4you.com/files/slides/8a3/34547f7d214265ed715e40b7e2866272.jpeg
https://banner2.kisspng.com/20180511/vkq/kisspng-goldfish-information-aquarium-5af576d3b9b663.9474419015260361797607.jpg
https://i.pinimg.com/originals/f5/a3/db/f5a3db7dde3068031ef3e15753aee360.png
https://wildbirdsflying.com/wp-content/uploads/2015/11/square-1.jpg
http://4.bp.blogspot.com/-9ebPSVrbVk8/Ucxg_IOg2Xl/AAAAAAAABVQ/Kj8RDQqHWk0/s1200/oiseau%20(1).png
https://banner2.kisspng.com/20180420/ioq/kisspng-draw-birds-drawing-penguin-sparrow-bullfinch-5ada4c064c6389.2558555815242557503129.jpg
http://fotodes.ru/upload/img1336819510.jpg
https://mohmedshorbge.files.wordpress.com/2014/01/90125-toothpain.jpg?w=1400
https://ethica.com.tr/UserFiles/files/ethica/tibbi-birimler/beyin-cerrahi/Anevrizma_1.jpg
https://iasbh.tmgrup.com.tr/3e9031/0/0/0/0/0/0?u=http://i.sabah.com.tr/sb/abdun/2017/07/28/dis-curugu-kanser-yapar-mi-1501232347264.jpg
http://www.thearccaddobossier.org/images/oldcar.jpg
https://www.thedailymeal.com/sites/default/files/2017/02/06/shutterstock_202878907_1.jpg
http://hdwallpapersrocks.com/wp-content/uploads/2013/10/Proposing-for-love-to-giving-flowers-bouquet.jpg
http://azorel.pro/wp-content/uploads/2017/09/team-uniforms-dealers-interruptions.jpg
http://www.aljanh.net/data/archive/img/3375616617.jpeg
http://s1.1zoom.net/big3/257/Fruit_Pitaya_Avocado_Grapes_Apples_White_523674_5616x3744.jpg
https://vkpeople.ru/_/Федюнин-Виктор-фото?pp.userapi.com/c622225/v622225836/8ae1/4gPRr09vPRs.jpg
https://i.ebayimg.com/t/Wine-bit-College-Dorm-Home-Office-8-5X11-Laminated-Magnetic-Sign-Poster-/00/s/ODgwWDExMzA=/z/LjAAAOxy7S5SB-km/$(KGrHqJHJB!FH6g1sQWoBSB-kl,wlw~~60_57.JPG
https://banner2.kisspng.com/20180326/vbw/kisspng-heart-drawing-clip-art-hearts-5ab8d43771b959.2566424215220623914658.jpg
http://www.pngnames.com/files/3/Banana-PNG-Image.png
https://static.tildacdn.com/tild3634-3534-4763-b135-376437623434/_.jpg
http://www.mimino27.ru/images/stories/virtuemart/product/гарнир_картоф_отварной.png
http://1.bp.blogspot.com/-7G7SNiXoEtl/VKt6IGIxkll/AAAAAAAAh80/8XQL_F8aNO8/s1600/glaze%2Bfor%2Bgrilled%2Bsalmon.jpg
http://delikates.5armia.ru/pic/bc3b2962066ec92e7dcb511e655490e5.jpg
https://banner2.kisspng.com/20180701/clk/kisspng-chicken-as-food-broiler-mortadella-hot-dog-boneless-chicken-5b3985c764be23.5193387815304964554127.jpg
https://i.artfile.me/wallpaper/15-08-2014/5550x4200/eda-griby--gribnye-blyuda-tarelka-856399.jpg
http://www.tulasamovar.ru/upload/iblock/e4e/DSC06922.JPG
https://alterthecourse.com/wp-content/uploads/2015/01/iStock_000016012482_Medium.jpg
http://cdnd5y.arora.pro/upload/5178d478-4cec-4a1f-a25f-8bf650b8ff32/original/481c1903-a201-41c9-a496-94ec1920ac00.jpg
http://vikondi.ru/upload/iblock/1b6/brusnika-termostabilnaya-nachinka-s-kusochkami-yagod.jpg
http://kazachya.net/uploads/posts/2017-01/1485244990_ckx3hjzo87wwqub.jpeg
http://teatro-x.ru/upload/main/70d/2612box.jpg
http://www.classic2piano.com/images/2013.05.07.RZK.jpg
https://www.vl.ru/afisha/uploads/events/dbd/45482_6c4_big.jpeg\ https://wobla.ru/afisha/previews/2016/69f5c6e75ae015f5ea6e0b8bd7bc6a9c.jpg
https://doping.ru/uploaded/news/news_96.jpg
https://www.clubsaun.ru/assets/files/9/86uihnlfamy.jpg
http://www.anatolysulkin.com/collection/catalog/football/2009/20090517.jpg
http://www.yugs.ru/images/cms/data/novosti/novosti_kompanii/ok/2014/otkrytie_31_oktyabrya.jpg
http://molruz.ru/uploads/posts/2015-05/1430902872_9-maya2.jpg
http://mincultrk.ru/images/cms/data/novosti9/afisha_portret_sem_i1.jpg
http://www.wallpapers13.com/wp-content/uploads/2016/02/Underwater-World-Ocean-seabed-diver-Barrier-Reef-with-coral-colored-fish-desktopHd-wallpaper-1920x1200.jpg
https://www.getzone.com/wp-content/uploads/2016.09.09-Cheetah.jpg
https://www.santour.ru/news/uploads/Oae/M_Dubai_Mall_v1_01_1.jpg
https://stafftravel.voyage/_assets/L3p0dDRnUnVpRkNCVFVCdnA1N0NqQT09
https://cdn.hipwallpaper.com/i/16/17/u7XPzG.jpg
http://pushime.com/wp-content/uploads/2017/11/16.jpg
http://www.nepsite.ru/upload/iblock/09c/09cc1cd70090b89ebdb3b4842786c4d2.jpg
https://dea474tt7pa43.cloudfront.net/377c7b30-37cb-4209-987a-d056eb69f871-desktop.jpg
https://www.novorossiysk-travel.ru/wp-content/uploads/2015/11/118.jpg
https://st.weblancer.net/download/1488913_935xp.jpg
https://www.freelancejob.ru/upload/497/51620000135153.jpg
http://am2.dlstatic.ru/afisha/posters/poster_image_7263.d4ede81882ae2e251e0f1ae9de520b05.jpeg
https://s.057.ua/section/afisha_event/upload/pers/16/img/afisha/000/000/098/joga-dla-vseh-180331-sajt-057_5aba6472c00f2.jpg
https://likes.ru/uploads/event/image/13753/super_medium_27f5755a69d553a493d2d6169d22de61.jpg
https://pngimage.net/wp-content/uploads/2018/06/workplace-png.png
https://image.flaticon.com/icons/png/512/392/392724.png
https://auto24service.ru/attachments/Image/Bruning-icons-02.png
http://cdn.onlinewebfonts.com/svg/img_449051.png
https://www.capitalnepal.com/wp-content/uploads/2018/09/restaurant-table.png
https://www.kiriworks.com/wp-content/uploads/2015/10/KiriWorks_Icons_V1_Solutions_Healthcare_Hospitals.png
https://library.kissclipart.com/20180830/xqw/kissclipart-alcoholic-drink-clipart-cafe-alcoholic-drink-beer-86909c3a2c03fd35.png
http://www.18hotel.paris/_media/images/Contact/ico_stadium.png
http://cdn.onlinewebfonts.com/svg/img_19464.png
https://banner2.kisspng.com/20180403/ueq/kisspng-wedding-cake-computer-icons-marriage-wedding-couple-5ac42b5d103d10.6991137915228055970665.png
https://dumielauxepices.net/sites/default/files/dj-clipart-svg-508783-7886161.png
https://banner2.kisspng.com/20180404/qww/kisspng-computer-icons-university-academic-degree-bank-5ac4abf2726781.0706920015228385144686.png
https://4.bp.blogspot.com/-bdA-GDw8EAA/WSlE6-wgLmI/AAAAAAAABpw/GFQdzGI6WslWU79x0hFSiodvWdZiYZ4JwCLcB/s1600/1.png
https://pptcrafter.files.wordpress.com/2013/04/hand-6.png
https://banner2.kisspng.com/20180524/cxi/kisspng-computer-icons-measuring-scales-clip-art-scalefree-network-5b06f3fdda6305.5502230515271823338945.png
https://yaxzd0dmlf-flywheel.netdna-ssl.com/wp-content/uploads/466346969.jpg
https://www.yuga.ru/media/97/bc/kavkazskie_igry_2012_b(20)__pdttjzt.jpg
http://www.mycharm.ru/data/cache/2017jan/16/35/318980_30899.jpg
http://1.bp.blogspot.com/-ZRJ3E34DJCk/UtkbKxW7Myl/AAAAAAAANA8/T49gwQxDKk0/s1600/DSC05763.jpg
http://s1.fototko.ru/photo/full/437/4371184.jpg
http://lit.foomegabit.ru/upload/image/new_i902013_1.jpg
http://old.ladyahealth.ga.ru/media/site_pictures/цфниал_цепкуп.jpg

https://images.radario.ru/images/ad0f3cc7cba64aa7b37919e46706ca15.jpg
http://1.bp.blogspot.com/-HHF2wesqvYA/U0GBEgnPWFI/AAAAAAAAAbl/CivPwQ-kU0s/s1600/баннер%2B143x190%2Bсм.jpg
https://banner2.kisspng.com/20180131/qoe/kisspng-great-white-shark-clip-art-shark-png-picture-5a71bdc680b834.8295280215174035905272.png
https://dumielauxepices.net/sites/default/files/human-clipart-hominid-644391-2229184.png
https://aquavid.ru/media/232c7a31fc715fda57d53d823904d2ca.jpg
https://ripost.s3.eu-central-1.amazonaws.com/kepadatbazis/0aaa53d4d10271a42d2775756b824f4b14213d84/922a7deb1efcb8ab6ec5f8ed163df54158ec09f1.jpg
http://iphoto.md/images/2014/11/02/fotolia_29438669.jpg
http://www.armybase.us/wp-content/uploads/2018/03/credit-cards-for-business-awesome-credit-card-business-card-template-image-collections-templates-of-credit-cards-for-business.jpg
http://kbtm.ru/wp-content/uploads/2013/09/191.jpg
https://metry.ua/img/items/4007/40075991524657807.png
https://biblio.by/media/catalog/product/cache/1/image/1200x1200/9df78eab33525d08d6e5fb8d27136e95/9/7/9785847510462-2017--.jpg
https://www.thesun.ie/wp-content/uploads/sites/3/2015/11/2549775.main_image.jpg?strip=all&w=1200&h=800&crop=1
http://www.stroy-podskazka.ru/images/article/orig/2018/01/kak-pokrasit-steny-v-kvartire-delaem-remont-svoimi-rukami-51.jpg
https://katalogcen.ru/media/lots/2018-05/1526560464_h32a5600.jpghttps://content.leons.ca/ProductImages/0/669157.jpg
http://paper5pc.com/images/food-cake-cream-blueberries-tasty-wallpaper-3.jpg
http://s1.1zoom.me/b5050/64/416865-svetik_2048x1536.jpg
http://i1.ytimg.com/vi/G2-mzvyU-iI/maxresdefault.jpg
https://s3.eu-central-1.amazonaws.com/images.hipdir/33496/vzopwubkocf3qs1emotrdqyte2p8x5lf.jpg
http://www.abkhazia.pro/upload/medialibrary/7de/7de47d061eeb60acbf5b656640c484fc.png
https://cache3.youla.io/files/images/780_780/5b/11/5b115e7093800002cf0184f3.jpg
http://qafqazxeber.az/wp-content/uploads/2017/04/915a6bd4-3e06-43b3-96dd-56220cc91c17.jpg
http://www.trbimg.com/img-57cd9aac/turbine/sdut-opening-ceremony-sochi-olympics-g-2014feb07
http://letnews.ru/wp-content/uploads/2015/12/524.jpg
http://www.fotoventasdigital.com/img/metal-frame-pools/_fullsize/marvelous-intex-metal-frame-above-ground-review-above-ground-s_metal-frame-pools.jpg
https://pngimage.net/wp-content/uploads/2018/06/old-camera-png-4.png
http://img.artlebedev.ru/everything/lekalus/lekalus-girl.jpg
http://www.microrain.net/sites/www.microrain.net/files/ca_applications/application/images/Dressage.png
http://site.masaero.com.my/Clients/masaero/airline%20seat%20cover.jpg
http://pngimg.com/uploads/measure_tape/measure_tape_PNG59.png
https://www.avito.ru/moskva/mebel_i_interer/aviatsionnoe_passazhirskoe_kreslo_s_samoleta_1526241408
http://cdn.onlinewebfonts.com/svg/img_426069.png
http://cdn.onlinewebfonts.com/svg/img_556082.png
http://deepimagery.net/events/wp-content/uploads/sites/13/2017/01/25-512.png
https://banner2.kisspng.com/20180409/jrq/kisspng-cafe-restaurant-hotel-computer-icons-dinner-fork-5acbdc42107e91.6580991115233096340676.png
http://longaribus.com/en/wp-content/uploads/2017/02/longari-frigo-bar.png
http://grandpropertiescollection.com/uploads/categories/9bf569da61810599864a73e9669ac42ef2afb268.png
http://cdn.onlinewebfonts.com/svg/img_426106.png
http://santorg-lider.ru/upload/iblock/207/207b3f2a454cfe6d57a331e91e6b7477.jpg
https://image.freepik.com/icones-gratuites/personne-jacuzzi-profiter-bain-d-39-eau-chaude_318-51223.jpg
https://cdn0.iconfinder.com/data/icons/travel-hotel-camping-solid-style/91/Travel_-_hotel_-_camping_Solid_27-512.png
http://www.clipartbest.com/cliparts/dc7/LLx/dc7LLxqGi.png
https://imageog.flaticon.com/icons/png/512/472/472061.png?size=1200x630f&pad=10,10,10,10&ext=png&bg=FFFFFFFF
http://cdn.onlinewebfonts.com/svg/img_28952.png
http://cdn.onlinewebfonts.com/svg/img_528358.png
https://image.flaticon.com/icons/png/512/189/189162.png
https://banner2.kisspng.com/20180527/vcy/kisspng-fitness-centre-computer-icons-hotel-villa-5b0ac659390570.9861119315274327932336.png
http://b2.static.userimages.ru/img/2/3/b/8cde7946250bba4ff9a9aff33d94c.png
https://banner2.kisspng.com/20180422/brw/kisspng-stencil-smoking-cessation-symbol-5adcab1d04d289.7262277215244111650198.png
https://image.flaticon.com/icons/png/512/189/189162.png
https://cdn3.iconfinder.com/data/icons/buildings-places/512/Hotels_A-512.png
http://littlereasonstosmile.me/wp-content/uploads/animal-shelter-logos-clipart-the-cliparts.jpg
https://keystart.roscosmos.ru/upload/product/3_1920-1440_1.jpg
http://static2.keep4u.ru/2012/10/17/672e2eb91df29052fd2ab1efc92b4cc2.png
http://dogzone.tcwebsites.netdna-cdn.com/wp-content/uploads/2017/09/bulldog-names-2.jpg
https://odysseyonline-img.rbl.ms/simage/https%3A%2F%2Faz616578.vo.msecnd.net%2Ffiles%2F2017%2F02%2F13%2F636225458112042451644850550_time-flies.gif/2000%2C2000/46JEHUfVEgRHLn70/img.gif
http://karate-lions.cz/wp-content/uploads/2013/08/Time-running.jpg
https://pp.userapi.com/c847021/v847021954/2284a/HJ_5D1Dltmc.jpg
https://1.bp.blogspot.com/-MB8TM4IUKkY/WYykX_EHmcI/AAAAAAAB91k/u77smhv1_vI-idLW4VX-FQetc6yQWAxDwCK4BGAYYCw/s1600/time-92897_1920.jpg
http://www.copiisimamici.ro/poze-galerie/banc-de-pesti.gif
https://carwad.net/sites/default/files/cartoon-person-running-122239-7600096.jpg
https://arhivurokov.ru/kopilka/uploads/user_file_58241d1ec3f5d/podvizhnyie_ighry_s_diet_mi_mladshiegho_doshkol_nogho_vozrasta_3.jpeg
https://odysseyonline-img.rbl.ms/simage/https%3A%2F%2Faz616578.vo.msecnd.net%2Ffiles%2F2016%2F09%2F24%2F6361035429521628355685168573_34.jpg/2000%2C2000/bc0XSAox6j27rNNr/img.jpg
http://p2.wawalove.pl/p2.wawalove.pl/e2eb186661cd777741447a0aa9c8beea.jpg
http://www.daliskulubu.com/wp-content/uploads/2018/07/OD-diver.png
http://www.tokkoro.com/picsup/406348-horse-wallpaper-free-download.png
http://imageog.flaticon.com/icons/png/512/66/66906.png?size=1200x630f&pad=10,10,10,10&ext=png&bg=FFFFFFFF
https://hanslodge.com/images/BcgKrxe7i.png
http://nn-stories.ru/wp-content/uploads/2015/11/иллюстрации-нн14.jpg
http://mirror7.ru.indbooks.in/wp-content/uploads/2016/0200728/i_017.png
https://media.musely.com/u/63df4557-f6a0-4e22-a535-ae332385eaec.jpg
http://www.rackracki.ru/raskraski/kartiny/velikie_hudogniki/sistine_madonna.jpg
https://i.pinimg.com/originals/29/30/50/2930508c5b0f4882d2ecf2aba6e5f0bd.png
https://na-ha-ha.ru/images/info/201712/zabavnye-illyustracii-na-temu-selfi-teaser.jpg
http://www.banyaszmuvhaz.hu/elemek/1009/ftgrafika.jpg
http://seaah.co/wp-content/uploads/2018/06/free-drawing-and-coloring-games-unique-of-princess-pages-online-for-best-colouring-at-com-personal-preschoolers-onli.jpg
https://i.pinimg.com/originals/73/48/8b/73488b9a1052ef5de7f1f1487135da67.jpg
https://2.bp.blogspot.com/-5yda_hBT4ro/WTbzOelgtnl/AAAAAAAHGxl/f5-ae7NP1cs87e62mHnaC_dZxkdXrC7IwCLcB/s1600/Fish-PNG-15.png
http://mnc.ru/mexmat/img_mikhalev/54.jpg
https://i.artfile.me/wallpaper/08-11-2017/2560x1600/raznoe-ruki-noutbuk-1261671.jpg
http://www.dayrent.by/uploads/objects/objectPic_9891.jpg
https://cdn-s-www.republicain-lorrain.fr/images/b3295240-a793-4060-88e8-8ba4431376e2/BES_06/illustration-concert-anniversaire-jean-sebastien-bach_1-1531986095.jpg
https://avatars.mds.yandex.net/get-pdb/939428/fc6cd01b-8a3d-45d3-9bc1-18ef41fd9fb3/s1200
http://www.music-nn.ru/content/setup/pics/news/4JmsJ82zrw9dzQ5o5InEshSuH8n.jpg
https://notimeforsilence.files.wordpress.com/2016/10/napoleon_i_of_france_by_andrea_appiani.jpg?w=1280
https://www.delo.si/images/slike/2018/08/09/Dostojevski_W.jpg
https://cropper.watch.aetnd.com/cdn.watch.aetnd.com/sites/2/2018/05/GettyImages-520719995.jpg
https://mozartschildren.files.wordpress.com/2015/01/mozarts-portrait-from-mozart-family-portrait-painted-by-johann-nepomuk-della-croce-salzburg-1790-1791.jpg
https://ru.moscovery.com/wp-content/uploads/2016/04/Император-Петр-I.jpg
http://www.freakingnews.com/pictures/26000/Queen-of-England-with-a-Small-Head-26007.jpg
https://b1.culture.ru/c/685986.jpg
http://elochnye-shary.ru/all_category/shari-100-mm/snegiri-po-krugu241#menu-jakor
http://eventsinrussia.com/eventsimages/otherevent/451b798df5a27542202ba8f0aaab3569.jpg
http://zheleznovodskiy.ru/assets/images_cache/4ee0a2e9d3652918efc240dc66b0376d.jpg
http://fondserebrova.ru/wp-content/uploads/2015/09/DSC7881_30x45.jpg
https://www.tapeciarnia.pl/tapety/normalne/248522_ciastka_talerz_szyszka.jpg
http://900igr.net/up/datai/98855/0008-014-.jpg
https://avatars.mds.yandex.net/get-pdb/28866/471f277c-f468-484a-b167-a840fb27c4ba/s1200?webp=false
https://datingtalks.com/wp-content/uploads/2018/08/317_2.jpg
https://static1.gophotoweb.com/u955/1819/photos/3480968/1500-7c05272fb9a5d18197c1c190e48eaba4.jpg
http://akosarev.info/images/big/acoll_0045165_DSC_0198_w.JPG
http://img.bibo.kz/10826/10826826.JPG
https://d2v9y0dukr6mq2.cloudfront.net/video/thumbnail/BBhx86Tfioh2l7y6/the-fisherman-on-the-boat-fished-small-fish-on-a-fishing-rod_hvzl8krs__F0000.png
https://i.hurimg.com/i/hurriyet/75/770x0/57231e33c03c0e5bf8cc21de
http://whatafact.com/wp-content/uploads/2016/05/gates.jpg
https://www.thebalanceeveryday.com/thmb/HIfgOf-zDhGkz-ygGtPZ5cuPbfc=/5124x3410/filters:fill(auto,1)/usa-new-york-city-computer-screen-showing-greenery-467179259-57d4f9d65f9b589b0ad82ac0.jpg
https://homewalldecor.us/wp-content/uploads/2016/03/wall-mounted-tv-ideas-wall-mounted-tv-designs.jpg
https://avatars.mds.yandex.net/get-pdb/38069/b60e0e08-9cb0-4688-bfb7-5e56aef31d29/s1200?webp=false
https://ae01.alicdn.com/kf/HTB1Cb9qbf5TBuNjSspcq6znGFXaJ/-Blazer-Vest-Pants-Royal-Blue-Suit-Men-3-Piece-Business-Formal-Wedding-Suit-Wine-Red.jpg
http://www.vipdukkani.com/img/products/36273-ofis-erkekler-elbise-ayakkab-talyan-dueguen-adam-rahat-ayakkab-oxfords-elbise-ayakkab-adam-flats-deri-ayakkab-zapatos-hombre.jpg http://www.vipdukkani.com/img/products/36273-ofis-erkekler-elbise-ayakkab-talyan-dueguen-adam-rahat-ayakkab-oxfords-elbise-ayakkab-adam-flats-deri-ayakkab-zapatos-hombre.jpg
https://media.publika.md/ru/image/201709/full/1482111610_53619400.jpg
https://t-ec.bstatic.com/xdata/images/hotel/max1280x900/9977557.jpg?k=c909e28a9dc19a243935fa26c9b2bf628c0ece0a0654431c3cdafba78591d7b4&o=
http://svadba.pro/images/photos/medium/fd21c9ae175656e212fd8ea76a37af2f.jpg
https://pro-prazdniki.com/uploads/4a6397ee86299cb2dd2ff54d880b3782.jpg
https://assets.entrepreneur.com/content/3x2/2000/20180605141041-te-verde.jpeg
https://novostipmr.com/sites/default/files/filefield_paths/kaliningrad-68689-8347472.jpg
https://cdn.theculturetrip.com/wp-content/uploads/2016/11/3878132582_7ed5db1fe8_o.jpg
https://i.ytimg.com/vi/PH5D6hMiYVQ/maxresdefault.jpg
https://i1.photocentra.ru/images/main54/546081_main.jpg
https://eao24.ru/wp-content/uploads/2018/04/auto_01-380_93114_83dc851d_orig.jpg

https://files2.geometria.ru/pics/original/054/462/54462365.jpg
http://irkutsk.siss.ru/uploads/firm/gallery/140039/153297/medium.jpg?_=2409631551
https://ds04.infourok.ru/uploads/ex/1150/0009d54f-8ef61ae5/img1.jpg
http://on-desktop.com/ru/images/wp.php?path=/wps/3D-graphics_Petropavlovsk-Kamchatsky_094287_.jpg&wp=17
https://www.g2planet.com/hubfs/Holiday%20Emails.png?t=1535307258718
http://созвездиефеникс.рф/wp-content/uploads/2018/08/K-sotszashhite.jpg
http://3lq1ku40fh612q5Iii5rft0n.wpengine.netdna-cdn.com/wp-content/uploads/cms/apimage/23/ap_ef403bf2ded73d16770f6a7067008ae1.jpg
https://i.ytimg.com/vi/yjLlft2El14/maxresdefault.jpg
http://wallpapersdsc.net/wp-content/uploads/2015/11/Ice_Cream_HD_Wallpapers2.jpg
https://www.andys.md/kcfinder/upload/images/post_bors_.png
http://cdnd5x.arora.pro/upload/5178d478-4cec-4a1f-a25f-8bf650b8ff32/original/01f94520-cf39-4c20-840c-0f404ca19e06.jpg
http://наша-пицца.рф/upload/iblock/4f1/4f19dd386f179dbaa65a419c88f207d6.jpg
https://i.eurosport.com/2016/12/05/1982018-41635854-1600-900.jpg
https://www.cestovinky.cz/sites/default/files/images/50/lake_moraine.jpg
https://www.kadolog.com/sites/default/files/field/image/thumbnail.jpg
https://blog.doctordoug.com/wp-content/uploads/2013/09/dog-big-ears.jpg
http://www.oncocenter-israel.com/wp-content/uploads/2015/09/Vozmozhnye-posledstvija.jpg
https://fromlife.net/wp-content/uploads/2018/09/lechenie-kompressionnogo-pereloma-pozvonochnika-u-pozhilyx-lyudej-1024x683.jpg
https://sinuslifting.ru/wp-content/uploads/2017/03/zubnaya-bol-u-muzhchiny.jpg
https://www.yuga.ru/media/ae/68/sin4073__d8to81w.jpg
https://www.northwestaircon.co.uk/wp-content/uploads/rsz_cold-hands-and-feet.jpg
http://muzuch.ru/uploads/posts/2015-12/1450774741_07-1.jpg
http://file.kinema.sk/files/recenzie/20122231945//36120-5471720-5.jpg
https://dpchas.com.ua/sites/default/files/u10284/suicid_5.jpg
http://gosindex.ru/wp-content/uploads/2016/03/ulmuz-muz.jpg
http://0.m4.nz/s/techtrend2018/u/te/ch/trend2018/2017/12/o-WOMAN-GIVING-MAN-GIFT-facebook.jpg
http://www.allegroresponse.com/about/images/about/vision.jpg
https://melbournechapter.net/images/job-clipart-main-office-5.png
https://banner2.kisspng.com/20180408/cbw/kisspng-swimming-pool-computer-icons-hotel-room-campsite-billiards-5ac9a9195e8082.9255778115231654653871.png
https://skidka-perm.ru/images/prodacts/sourse/24/24605_holodilnik-side-by-side-daewoo-frn-x22b4cw-frn-x22b4cw.jpg
https://catalystone.com/wp-content/uploads/2014/05/134115438.jpg
https://static.al-masdar.net/uploads/2014/11/146280429.jpg
http://ramkniga.ru/img/wedding_04.jpg
http://krasaru.ru/uploads/posts/2013-06/1370608249_pricheski-dlya-devochek-8.jpg
https://spravkaru.info/files/firm_photo/nizhniynovgorod/1298068/nizhegorodskiy-kreditnyy-soyuz-10189.jpg
https://i.pinimg.com/originals/9c/1f/18/9c1f18cc636be62beb2ce92c4c3c1cb7.jpg
https://img1.goodfon.ru/original/1920x1080/3/86/bulgaria-cekim-fashion-girl-3515.jpg
http://www.admin.izum.ua/Data/GeneralImg/Article/220398/kak-vyjti-zamuzh-v-40-let.jpg
https://www.amanoconnect.com/wp-content/uploads/2015/09/CONNECT-shutterstock_60463732.jpg
https://avatars.mds.yandex.net/get-pdb/69339/845d0d0b-ed47-4a66-bc5a-0d775632e1c5/s1200
https://www.americansforthearts.org/sites/default/files/CHOSEN%20-%20Promo%201%202016%20%28live%20shows%20page%29.jpg
https://pix.avaxnews.com/avaxnews/69/76/00017669.jpeg
https://tulun.life/wp-content/uploads/2018/08/kgalsmwwpqy.jpg
https://ymimg1.b8cdn.com/uploads/car_model/3374/pictures/3255224/360_rio0001.png
https://www.kokolife.tv/wp-content/uploads/2017/07/Chanel-Presents-Its-Fall-2017-Collection-KOKOTV9.jpg
http://evagirl.ru/uploads/posts/2017-03/1489451265_839327.jpg
https://krivoe-zerkalo.ru/images/2017/2017_2/bankomat.jpg
http://questophobia.ru/images/DSC_9762.jpg
https://cdn.gdz4you.com/files/slides/8a3/34547f7d214265ed715e40b7e2866272.jpeg
https://banner2.kisspng.com/20180511/vkq/kisspng-goldfish-information-aquarium-5af576d3b9b663.9474419015260361797607.png
https://i.pinimg.com/originals/f5/a3/db/f5a3db7dde3068031ef3e15753aee360.png
https://wildbirdsflying.com/wp-content/uploads/2015/11/square-1.jpg
http://4.bp.blogspot.com/-9ebPSVrbVk8/Ucxg_IOg2XI/AAAAAAAABVQ/Kj8RDQqHWk0/s1200/oiseau%20(1).png
https://banner2.kisspng.com/20180420/ioq/kisspng-draw-birds-drawing-penguin-sparrow-bullfinch-5ada4c064c6389.2558555815242557503129.png
http://fotodes.ru/upload/img1336819510.jpg
https://mohmedshorbge.files.wordpress.com/2014/01/90125-toothpain.jpg?w=1400
http://ethica.com.tr/UserFiles/files/ethica/tibbi-birimler/beyin-cerrahi/Anevrizma_1.jpg
https://iasbh.tmgrup.com.tr/3e9031/0/0/0/0/0/0/0?u=http://i.sabah.com.tr/sb/album/2017/07/28/dis-curugu-kanser-yapar-mi-1501232347264.jpg
http://www.thearccaddobossier.org/images/oldcar.jpg
https://www.thedailymeal.com/sites/default/files/2017/02/06/shutterstock_202878907_1.jpg
http://hdwallpapersrocks.com/wp-content/uploads/2013/10/Proposing-for-love-to-giving-flowers-bouquet.jpg
http://azorel.pro/wp-content/uploads/2017/09/team-uniforms-dealers-interruptions.jpg
http://www.aljanh.net/data/archive/img/3375616617.jpeg
http://s1.1zoom.net/big3/257/Fruit_Pitaya_Avocado_Grapes_Apples_White_523674_5616x3744.jpg
https://vkpeople.ru/_/Федюнин-Виктор-фото?pp.userapi.com/c622225/v622225836/8ae1/4gPRr09vPRs.jpg
https://i.ebayimg.com/t/Wine-bit-College-Dorm-Home-Office-8-5X11-Laminated-Magnetic-Sign-Poster-/00/s/ODgwWDExMzA=/z/LjAAAOxy7S5SB-km/$(KGrHqJHJB!FH6g1sQWoBSB-kl,wlw~~60_57.JPG
https://banner2.kisspng.com/20180326/vbw/kisspng-heart-drawing-clip-art-hearts-5ab8d43771b959.2566424215220623914658.png
http://www.pngnames.com/files/3/Banana-PNG-Image.png
https://static.tildacdn.com/tild3634-3534-4763-b135-376437623434/_.jpg
https://store.pobedavkusa.ru/upload/iblock/689/1d4e0341b8d8c9b5dc81e795e13aa9eb.png
http://www.mimino27.ru/images/stories/virtuemart/product/гарнир_картоф_отварной.jpg
http://1.bp.blogspot.com/-7G7SNiXoFtI/VKt6IGIxklI/AAAAAAAAh80/8XQL_F8aNO8/s1600/glaze%2Bfor%2Bgrilled%2Bsalmon.jpg
http://delikates.5armia.ru/pic/bc3b2962066ec92e7dcb511e655490e5.jpg
https://banner2.kisspng.com/20180701/clk/kisspng-chicken-as-food-broiler-mortadella-hot-dog-boneless-chicken-5b3985c764be23.5193387815304964554127.png
https://i.artfile.me/wallpaper/15-08-2014/5500x4200/eda-griby--gribnye-blyuda-tarelka-856399.jpg
http://www.tulasamovar.ru/upload/iblock/e4e/DSC06922.JPG
https://alterthecourse.com/wp-content/uploads/2015/01/iStock_000016012482_Medium.jpg
http://cdnd5y.arora.pro/upload/5178d478-4cec-4a1f-a25f-8bf650b8ff32/original/481c1903-a201-41c9-a496-94ec1920ac00.jpg
http://vikondi.com/upload/iblock/1b6/brusnika-termostabilnaya-nachinka-s-kusochkami-yagod.jpg
http://kazachya.net/uploads/posts/2017-01/1485244990_ckx3hjzo87wwqub.jpeg
http://teatro-x.ru/upload/main/70d/2612box.jpg
http://www.classic2piano.com/images/2013.05.07.RZK.jpg
https://www.vl.ru/afisha/uploads/events/dbd/45482_6c4_big.jpeg\ https://wobla.ru/afisha/previews/2016/69f5c6e75ae015f5ea6e0b8bd7bc6a9c.jpg
https://doping.ru/uploaded/news/news_96.jpg
https://www.clubsaun.ru/assets/files/9/86uihnlfamy.jpg
http://www.anatolysulkin.com/collection/catalog/football/2009/20090517.jpg
http://www.yugs.ru/images/cms/data/novosti/novosti_kompanii/ok/2014/otkrytie_31_oktyabrya.jpg
http://molruz.ru/uploads/posts/2015-05/1430902872_9-maya2.jpg
http://mincultrk.ru/images/cms/data/novosti9/afisha_portret_sem_i1.jpg
http://www.wallpapers13.com/wp-content/uploads/2016/02/Underwater-World-Ocean-seabed-diver-Barrier-Reef-with-coral-colored-fish-desktopHd-wallpaper-1920x1200.jpg
https://www.getzone.com/wp-content/uploads/2016.09.09-Cheetah.jpg
https://www.santour.ru/news/uploads/Oae/M_Dubai_Mall_v1_01_1.jpg
https://stafftravel.voyage/_assets/L3p0dDRnUnVpRkNCVFVCdnA1N0NqQT09
https://cdn.hipwallpaper.com/i/16/17/u7XPzG.jpg
http://pushime.com/wp-content/uploads/2017/11/16.jpg
http://www.nepsite.ru/upload/iblock/09c/09cc1cd70090b89ebdb3b4842786c4d2.jpg
https://dea474tt7pa43.cloudfront.net/377c7b30-37cb-4209-987a-d056eb69f871-desktop.jpg
https://www.novorossiysk-travel.ru/wp-content/uploads/2015/11/118.jpg
https://st.weblancer.net/download/1488913_935xp.jpg
https://www.freelancejob.ru/upload/497/51620000135153.jpg
http://am2.dlstatic.ru/afisha/posters/poster_image_7263.d4ede81882ae2e251e0f1ae9de520b05.jpeg
https://s.057.ua/section/afisha_event/upload/pers/16/img/afisha/000/000/098/joga-dla-vseh-180331-sajt-057_5aba6472c00f2.jpg
https://likes.ru/uploads/event/image/13753/super_medium_27f5755a69d553a493d2d6169d22de61.jpg
https://pngimage.net/wp-content/uploads/2018/06/workplace-png.png
https://image.flaticon.com/icons/png/512/392/392724.png
https://auto24service.ru/attachments/Image/Bruning-icons-02.png
http://cdn.onlinewebfonts.com/svg/img_449051.png
https://www.capitalnepal.com/wp-content/uploads/2018/09/restaurant-table.png
https://www.kiriworks.com/wp-content/uploads/2015/10/KiriWorks_Icons_V1_Solutions_Healthcare_Hospitals.png
http://library.kissclipart.com/20180830/xqw/kissclipart-alcoholic-drink-clipart-cafe-alcoholic-drink-beer-86909c3a2c03fd35.png
http://www.18hotel.paris/_media/images/Contact/ico_stadium.png
http://cdn.onlinewebfonts.com/svg/img_19464.png
https://banner2.kisspng.com/20180403/ueq/kisspng-wedding-cake-computer-icons-marriage-wedding-couple-5ac42b5d103d10.6991137915228055970665.png
https://dumielauxepices.net/sites/default/files/dj-clipart-svg-508783-7886161.png
https://banner2.kisspng.com/20180404/qww/kisspng-computer-icons-university-academic-degree-bank-5ac4abf2726781.0706920015228385144686.png
https://4.bp.blogspot.com/-bdA-GDw8EAA/WSlE6-wgLml/AAAAAAAABpw/GFQdzGl6WsIWU79x0hFSiodvWdZiYZ4JwCLcB/s1600/1.png
https://pptcrafter.files.wordpress.com/2014/04/hand-6.png
https://banner2.kisspng.com/20180524/cxi/kisspng-computer-icons-measuring-scales-clip-art-scalefree-network-5b06f3fdda6305.5502230515271823338945.png
https://yuga.ru/media/07/ka/harvmaalia_igry_2012_b(20)_pdltizt.jpg

http://www.mycharm.ru/data/cache/2017jan/16/35/318980_30899.jpg
http://1.bp.blogspot.com/-ZRJ3E34DJCk/UtkbKxW7MyI/AAAAAAAANA8/T49gwQxDKk0/s1600/DSC05763.jpg
http://s1.fotokto.ru/photo/full/437/4371184.jpg
http://tlt.100megabit.ru/upload/image/new_19032015_1.jpg
http://old.ledyahcollege.ru/media/site_pictures/афиша_щелкун.jpg
https://images.radario.ru/images/ad0f3cc7cba64aa7b37919e46706ca15.jpg
http://1.bp.blogspot.com/-HHF2wesqvYA/U0GBEgnPWFI/AAAAAAAAAbI/CivPwQ-kU0s/s1600/баннер%2B143x190%2Bсм.jpg
http://banner2.kisspng.com/20180131/qoe/kisspng-great-white-shark-clip-art-shark-png-picture-5a71bdc680b834.8295280215174035905272.jpg
https://dumielauxepices.net/sites/default/files/human-clipart-hominid-644391-2229184.png
https://aquavid.ru/media/232c7a31fc715fda57d53d823904d2ca.jpg
https://ripost.s3.eu-central-1.amazonaws.com/kepadatbazis/0aaa53d4d10271a42d2775756b824f4b14213d84/922a7deb1efcb8ab6ec5f8ed163df54158ec09f1.jpg
http://iphoto.md/images/2014/11/02/fotolia_29438669.jpg
http://www.armybase.us/wp-content/uploads/2018/03/credit-cards-for-business-awesome-credit-card-business-card-template-image-collections-templates-of-credit-cards-for-business.jpg
http://kbtm.ru/wp-content/uploads/2013/09/191.jpg
https://metry.ua/img/items/4007/40075991524657807.png
https://biblio.by/media/catalog/product/cache/1/image/1200x1200/9df78eab33525d08d6e5fb8d27136e95/9/7/9785847510462-2017--.jpg
https://www.thesun.ie/wp-content/uploads/sites/3/2015/11/2549775.main_image.jpg?strip=all&w=1200&h=800&crop=1
http://www.stroy-podskazka.ru/images/article/orig/2018/01/kak-pokrasit-steny-v-kvartire-delaem-remont-svoimi-rukami-51.jpg
https://katalogcen.ru/media/lots/2018-05/1526560464_h32a5600.jpghttps://content.leons.ca/ProductImages/0/669157.jpg
http://paper5pc.com/images/food-cake-cream-blueberries-tasty-wallpaper-3.jpg
https://b2bitocdn.kassot.com/56/c8/65/44/16982066/kvas-naturalnyiy.png
https://avatars.mds.yandex.net/get-pdb/776003/825225fc-a9af-47d5-b436-5e66270567a8/s1200
http://yesofcorsa.com/wp-content/uploads/2016/08/mojito_cocktail_wallpaper_7.jpg
https://s7.hostingkartinok.com/uploads/images/2015/07/571c2cde556f9510fda83f2d225eda90.jpg
https://cs8.pikabu.ru/post_img/big/2016/05/05/11/1462474441158142745.jpg
https://image.freepik.com/free-icon/no-translate-detected_318-40851.jpg
http://i.wheelsage.org/pictures/vaz/2101/autowp.ru_lada_1200_17.jpg
https://static.zerochan.net/Harry.Potter.full.741937.jpg
https://pp.userapi.com/c844216/v844216706/3c228/16j4u3L0oUs.jpg
http://поисков.рф/картинка/большая/f6b2644c63d3d46e82b4719ec39a8e38.jpg
http://itd3.mycdn.me/image?id=867631940328&t=20&plc=WEB&tkn=*8tYAPGkB4F9tkBSlI7XПyVy7gᴛMY
http://www.slauky.ru/published/publicdata/SLADKYWEB/attachments/SC/products_pictures/Vdokh-novaya.jpg
https://start33.ru/p/qfKboYqJy7UP100-dH6gYQ/r1024x1024,q96/n%2FbYWWFK0BTNuuoxiS3LFKPA
https://www.bon-elixir.ru/upload/iblock/de7/de77055da6c005b4e40b168862d8a542.jpg
https://francegallery.me/wp-content/uploads/2015/10/268.jpg
https://topsto-crimea.ru/images/thumbnails/2100/1600/detailed/254/1482351247.0316.jpg
http://spa-penza.ru/sites/default/files/news/spa_day1.jpg
http://us.rinhoo.com/CDN/2015/11/20/WGSP15118S7--R008--1447985457.jpg
https://animalreader.ru/wp-content/uploads/2015/01/zolotaja-rybka-animal-reader.ru_.jpg
http://img.gawkerassets.com/img/17t3v6mymjg9ajpg/original.jpg
http://www.petshopvidadecao.com.br/painel/up/noticias/19_destaque.jpg
http://s1.1zoom.me/big7/434/Butterbrot_Sausage_Bread_398471.jpg
http://biysk.in/_ph/2/126858118.jpg
http://s1.1zoom.me/b5050/233/Meat_products_Potato_Vegetables_White_background_535614_2880x1800.jpg
http://atvmedia.ru/uploads/news3/151608716571.jpg
https://ural-meridian.ru/wp-content/uploads/2017/06/IMG_9526.jpg
https://robo-hunter.com/uploads/images/7675/news/80_990_455_news_59b8e5d3a042c.JPG
http://i.4pcdn.org/pol/1521159537909.jpg
https://www.look.com.ua/download.php?file=201702/1920x1200/look.com.ua-196800.jpg
https://avatars.mds.yandex.net/get-pdb/236760/c62a1cca-0b2b-4664-8239-5d2ed21c3dce/s1200?webp=false
http://www.playcast.ru/uploads/2016/01/06/16697500.jpg
https://cdn4.iconfinder.com/data/icons/swimming-icon/512/swimming_48-512.png
http://revistajohngalt.com/wp-content/uploads/2017/07/peru.jpg
https://www.droomplekken.nl/wp-content/uploads/2017/01/Duomo-bezienswaardigheden.jpg
https://travel-365.ru/wp-content/uploads/2018/08/v-etnam-1024x576.jpg
https://www.freeastheocean.com/wp-content/uploads/2018/07/TIBET-95.jpg
https://cityblank.ru/upload/iblock/dcb/dcba007161e79d26c8605f225c963c54.png
http://varton.ru/upload/iblock/f49/f4915b0b3ee34c44c8610e6f3d01af1a.jpg
http://макс-сервис32.рф/wp-content/uploads/2018/04/8ad7d5f4354250be53c35596fd29bdc3.jpg
https://www.digiseller.ru/preview/561842/p1_2408281_bc86112b.png
https://3.bp.blogspot.com/-Rbz0RYit7No/T7zitgUKWBI/AAAAAAAAAfY/45EsP30rSLs/s1600/P5228617.JPG
https://www.modernmusictuitionlondon.com/wp-content/uploads/2017/10/Piano-lessons-in-Maida-Vale-London.jpg
https://pngimage.net/wp-content/uploads/2018/06/мы-открылись-png-4.png
http://www.ucatx.cat/wallpic/full/171/1710377/chef-wallpaper.jpg

ВЫ МОЖЕТЕ ПРИОБРЕСТИ ЭЛЕКТРОННЫЕ ВЕРСИИ НАШИХ КНИГ В ИНТЕРНЕТ-МАГАЗИНАХ И В ЭЛЕКТРОННЫХ БИБЛИОТЕКАХ:

«ЛитРес»:   http://www.litres.ru/zlatoust
«Айбукс»:   http://ibooks.ru
«Инфра-М»: http://znanium.com
«Интеракт»: LearnRussian.com, amazon.com,
                    book.megacom.kz, book.beeline.am,
                    book.beeline.kz
РА «Директ-Медиа»: http://www.directmedia.ru
Amazon: www.amazon.com
ООО «ЛАНЬ-Трейд»: http://e.lanbook.com, http://globalf5.com
ОАО ЦКБ «БИБКОМ»: www.ckbib.ru/publishers

Форматы:
Для ридеров: fb2, ePub, ios.ePub, pdf A6, mobi (Kindle), lrf
Для компьютера: txt.zip, rtf, pdf A4, html.zip,
Для телефона: txt, java

КНИЖНЫЕ ИНТЕРНЕТ-МАГАЗИНЫ:

«Златоуст»: https://zlatoust.store/
   тел.: +7 (812) 346-06-68
   Часы работы: понедельник — пятница: с 10:00 до 19:00.
OZON.RU: http://www.ozon.ru
Интернет-магазин Books.ru: http://www.books.ru;
   e-mail: help@books.ru
   тел.: Москва +7(495) 638-53-05, Санкт-Петербург +7 (812)
   380-50-06
BookStreet: http://www.bookstreet.ru
   Тел.: +7 (812) 326-01-27, 326-01-28,
   Санкт-Петербург. В.О. Средний проспект, д. 4,
   здание института «Гипроцемент».
   Часы работы: понедельник — пятница: с 9:00 до 18:30.